東大生が教える「戦争の終わり方」の歴史

東大カルペ・ディエム

監修 西岡壱誠

星海社

274

SEIKAISHA SHINSHO

序章

戦争はどうすれば「終わる」のか

本書は「戦争の終わり方」を論じた本です。

これまで、歴史上さまざまな戦争が起こってきましたが、終わらない戦争というものはほとんどありません。戦争には多くの場合、戦う目的があり、一方の目的が達成されればそれ以上戦う理由はないからです。戦争は続ければ続けるほど軍事的にも経済的にも消耗するので、どこかで終わらせる必要があります。

つまり、戦争を考えることはすなわち「戦争の終わり方」を考えることだ、とさえ言えるのです。

さて、読者のみなさんは「戦争の終わり方」にいろいろな形があることをご存じでしょうか。

「相手の国を倒せば、それで戦争は終わるんじゃないの？」

と思う人もいるかもしれませんが、そもそも「倒す」とはどういうことなのか、いろんな考え方があるのです。

カール・フォン・クラウゼヴィッツというプロイセンの軍人がいます。彼の書いた『戦争論』という本は、戦争に対する深い考察から全世界で翻訳され、戦争を考察する上での基本文献となっています。

彼は『戦争論』の中で、「戦争」そして「その終わり方」に対して、「ある考察」をしています。要約すると、「戦争において重要なのは『重心』であり、その戦争の『重心』をなくせば、戦争は終わる」というものです。

重心は、その国の状態や戦争によって変化します。首都である場合もあれば、軍隊である場合もあり、トップの人である場合もあります。

例えばフランスはナポレオンの時代にロシアと戦争をして、その際に首都のモスクワを陥落させています。首都を陥落させたのですから、もうそれだけでフランスの勝ちのように思えるかもしれませんが、実際にはその後の戦いで負けてしまっています。逆にそのロシアは、日露戦争で、ロシア国内にあまり攻め込まれていない状態であるにもかかわらず、日本有利の停戦に調印をしています。これはバルチック艦隊をはじめとする軍隊の敗北がロシアにとっての重心だったのではないか、という見方もできるかもしれません。

また、普仏戦争では、スダンの戦いで皇帝であるナポレオン3世が捕虜《ほりょ》になってしまいました。これがきっかけでフランスは敗北したので、この戦いの重心は皇帝であったと見ることもできるでしょう。

それ以外の重心には、兵糧というのも考えられます。「もうこれ以上戦えない」という状態になるのは、兵が食べるものがなくなってしまう時です。日本史でもよく「兵糧攻め」という戦略が取られていましたね。

また、三国志で曹操《そうそう》と袁紹《えんしょう》が争った「官渡《かんと》の戦い」というものがありますが、これで曹操の勝利を決定付けたのは「烏巣《うそう》の急襲」です。兵糧が溜められていた烏巣を曹操が攻撃し、袁紹に大打撃を与えたのです。兵糧というのも、重心になりうるわけですね。

要するに、「相手が負けを認めるには相手の重心を倒す必要がある」、そして、「相手の重心が一体どこにあるのかを見極める必要がある」ということです。

相手の重心を見誤ると、首都を陥落させたのに戦争自体に負けてしまったり、予想以上に戦争が長引いてしまったりします。太平洋戦争の時にアメリカが日本に対して驚いたのは、「こんなに負けが続いているのに、なぜ日本は降伏しないんだ?」ということでした。「さすがに領土を占領すれば戦争は終わるだろう」と考えていたら、沖縄を占領しても一向に日本が降伏する気配がなく、「どうすれば日本は降伏するんだ?」と悩んだと言われています。これも、日本の「重心」は何なのか、アメリカが測れなかったという話として捉えることができます。

この「重心」の考え方を取り入れた「戦争の終わり方」の定義はとても明瞭で、非常に示唆に富んだものだと言えるでしょう。

しかし、現実にはこれ以外にもいくつかパターンがあるのも事実です。というのも、戦争は一対一の戦いではないものも多く、複数の国が絡んでいる場合、一つの国が敗れても戦争が非常に長引いてしまったり、優勢な状態でも第三国の仲介によって戦争が終わる場合もあるからです。

特殊なパターンですが、共通の仮想敵国を設定して、「これ以上両国の間で戦争をするのはやめて、協力して別の国と戦おう」とする場合もあります。

例えば18世紀半ばに、「外交革命」という出来事がありました。これは、オーストリアのハプスブルク家とフランスのブルボン朝が提携する関係になった出来事です。なぜこれが「革命」と呼ばれるかというと、この両者は15世紀末から18世紀の外交革命までの250年以上ずっと対立しており、何度も戦争をするほど関係が悪かったからです。

なぜ、この両者が提携することになったのかというと、新しく強敵・プロイセンが登場したからです。強力な敵国の登場で、当時のハプスブルク家のマリア＝テレジアは、「海の向こうのイギリスと協力するのではなく、思い切ってフランスと提携しよう」と考えて、同盟を結んだのです。第三国の脅威が、250年以上の対立を緩和させたのです。

また、第二次世界大戦前、ドイツとソ連は対立していながらも「独ソ不可侵条約」を結んで手を取り合いました。しかし、このときドイツは「ソ連と仲良くしよう」とは思っておらず、「イギリス・フランスなどの国を倒してから、じっくりソ連と戦おう」という思惑があったとされています。他の国と戦うために戦争が防がれることもあるのです。

このように、「戦争の終わり方」はとても多様で、「どうすれば戦争が終わるのか」というのは、当時の人はおろか、戦争している当事者であってもわからない場合があると言えます。

これを踏まえて本書では、「軍隊の勝利・敗北で終わった戦争」「首都・領土の奪還・占領・陥落や、戦力の枯渇で終わった戦争」「宗教問題が関わり、長期化したり特徴的な終わり方になった戦争」「両者の妥協によって終わった戦争」「複数国が関わって複雑化した戦争」の5つのパターンに分けて、古今東西のいろいろな「戦争の終わり方」を解説しました。

案内人は、我々東大生集団「東大カルペ・ディエム」です。東大で歴史研究をしている我々が、戦争の終わりについて調べ、研究し、その結果をみなさんに共有させていただきます。

日本は太平洋戦争後、長らく平和を享受してきました。これはGHQによる戦後統治がよかった、つまりよい「戦争の終わり方」を享受できたためだと言われています。一方、本書で紹介する戦争の少なくない部分は、前の戦争による禍根が原因となって始まっています。よくない「戦争の終わり方」は、次の時代に新たな戦争の火種を残してしまうのです。

「戦争の終わり方」を考えることは、ただ過ぎ去った過去に思いを馳せるだけでなく、これからのよりよい未来を構想していくことでもあります。

そのためには、今を生きる私たちが、過去の戦争から学ぶべきことを学ぶ必要があると感じます。

歴史は繰り返すと言いますが、過去に起こったことは、これからも起こり得ると考えられますよね。

過去の戦争からこそ、「戦争の終わり方」を学ぶことができるはずなのです。

それでは「戦争の終わり方」を見ていきましょう。

目次

第2章 首都・領土の奪還・占領・陥落や、戦力の枯渇で終わった戦争 47

第5章 複数国が関わって複雑化した戦争

第1章

軍隊の勝利・敗北で終わった戦争

この章では、軍隊の勝利・敗北が戦争を終わらせたケースについてお話ししようと思います。

当たり前の話ですが、戦争は軍隊同士のぶつかり合いが基本です。A国とB国が戦争をするとき、普通はA国とB国のそれぞれの軍隊が戦うことになります。では、それぞれの軍隊の「強さ」とは、どのようにして決まるのでしょうか？

まず一つ、軍隊の強さを測る指標には「軍人の数・量」が挙げられますね。その軍にどれくらいの人数がいるのか、ということですが、基本的には当然多い方が有利です。

ただ、この「軍隊の数・量」は、時と場合によっては意味をなさなくなる場合がありま す。「軍隊の質」に大きな乖離がある場合には、何人束になっても敵わないということがあるのです。

例えば、寄せ集めの軍隊と、百戦錬磨の軍隊では、その戦力に大きな差がある場合があります ね。「一騎当千」という、「一人の騎兵が、千人にも勝るくらい強い」ことを指す言葉もあるほどですが、実際にソ連＝フィンランド戦争で活躍したシモ・ヘイへは一人で敵兵を542名射殺したという記録があります。「一人が500人以上にも勝るくらい強い」こともあるのです。

では、「軍隊の質」を示す指標にはどんなものがあるのでしょうか。

まずは練度です。訓練をどれくらい積んでいるのか、実戦経験がどれくらいなのかは大きな要素ですね。特に戦争というのは非日常な世界ですから、実際に戦場に行って戦った軍と訓練しかしたことのない軍には大きな差があるといえるでしょう。

他の大きな指標が「軍の兵器の質」です。兵器の質というのは、時として残酷なほどの差を生みます。単純に、空から爆撃をしてくる相手に対して竹槍で勝負できませんよね。100人の竹槍部隊がいても、航空部隊の1人に負けてしまうわけです。

昔の話で言えば、戦国時代の武将・織田信長が強かったのは、鉄砲をいち早く大量配備したからです。鉄砲というのは、弓よりも特別な訓練が必要なく、昨日まで農民だった人でも次の日から立派な兵力になることができます。長篠の戦いで、当時最強と言われていた武田の騎馬隊を、鉄砲という新技術で倒したのは有名な話ですよね。新しい技術を持った軍隊が、その兵力差を覆す例は少なくありません（なお最新の研究では、有名な「三段撃ち」は後の時代の創作ではないかとも言われていますが、信長が鉄砲を活用して武田軍を倒したのは間違いない事実でしょう）。

最近の話で言えば、湾岸戦争ではついにコンピューターが兵器に組み込まれることになりました。イラク軍も軍事力は強かったのですが、アメリカ軍はコンピューターを使ってピンポイントで標的を倒していき、「まるでテレビゲームのようだ」と言われました。「ニンテンドーウォー」なんて言葉もあるくらいです。任天堂からしたらたまったものではない造語ですが、しかし戦争の勝敗が科学技術によって決着することがある、というのも重要です。

ちなみに、直接武器の質には影響しない科学技術によって軍隊が強くなることはままあります。例えば戦争が起こるとプロイセンはたびたび鉄道を敷いて、鉄道で戦場まで人員や物資を送っていました。鉄道によって戦場までの移動が楽になり、また食べ物や武器などの資源も移動させやすくなります。こういった、「自国の軍隊の戦闘力を維持するため、そして戦争の作戦を支援するための、人員・兵器・食糧などの整備・補給・修理などを行う機能」のことを「兵站（ロジスティクス）」と呼びますが、このロジスティクスこそが第二次世界大戦以降の戦争で重要な要素になっていると言われています。軍隊の質は、戦場で戦う人だけの問題ではなく、その現地にいかに物資を運ぶのかという問題にもなっています。

さて、軍隊の強さはどのように戦争に影響し、戦争を終結に導いていったのか、さっそく見ていきましょう。

普墺戦争

事前に戦争に備えていたプロイセンの電撃的勝利

時期：1866年
対立：プロイセンVSオーストリア

どんな戦争か？

普墺戦争は、その名前の通りプロイセンとオーストリアの両者が対立して起こった戦争です。

プロイセンとオーストリアは、同じドイツ人の国家です。そしてこの時期、「同じドイツ人国家同士で統一しよう」という機運が生まれ、ドイツ連邦と呼ばれる集合体が作られていました。

これは、35の連邦と4つの自由都市で構成された国家集合体でしたが、このドイツ連邦の運営で、プロイセンとオーストリアはたびたび揉めるようになります。どちらも大国であり、この両国の発言力が強かったのですが、だからこそ対立することが多かったともいえます。

このときプロイセンの首相だったのが、かの有名なビスマルクでした。彼は、このドイツを統一する野望を持っており、オーストリアに戦争で勝つことを考えて軍国主義化を進めていました。

このビスマルクが、巧みな話術でオーストリアの王・ヨーゼフ1世を挑発します。「そっちがその気ならやってやるよ」とオーストリアはプロイセンに対して戦争を吹っ掛けたのでした。

戦争終結の流れ

この戦争では、開戦後のプロイセンの動きは本当に速かったと言われています。鉄道を使って軍隊を動員し、銃も性能のいいものを用意するなど、圧倒的なスピードで戦争準備を進めました。もともとビスマルクにとって、この戦争はずっと想定していたものだったので、当然といえば当然です。

結局、プロイセンはケーニッヒグレーツの戦いで圧勝し、戦力差を誇示することになりました。その後、オーストリアは「この戦力差ではなすすべがない」と降伏し、約7週間で勝敗がつきました。

戦争は1年以上続いても何もおかしくないのですが、普墺戦争はわずか50日程度で決着がつきました。この短期決戦ぶりは、ビスマルクの才覚を証明していると言えるでしょう。

終戦とその後

この戦争の結果、プロイセンの主導によるドイツ統一が進められることになりました。逆に大敗したオーストリアはドイツ統一の主導権を失ってしまいます。今でも「ドイツ」と「オーストリア」が別々の国として存在しているのは、この時の流れを汲んでいるのです。

また、オーストリアは敗戦後、「オーストリア＝ハンガリー二重帝国」となります。二重帝国という言葉は聞きなれない言葉ですが、これは、オーストリアが弱体化し、帝国内の一大勢力であったハンガリーの独立を阻止できないと判断した結果、形式的な独立を認めたものでした。ハンガリー王国の王位をオーストリア皇帝が兼ねて、その下で二つの国がそれぞれ別の政府・別の国会を運営するという体制です。

アヘン戦争

圧倒的戦力差でイギリスが清に勝利

時期：1840年～1842年
対立：イギリスVS清（中国）

どんな戦争か？

アヘン戦争とは、アヘンをめぐるイギリスと清（中国）の対立がきっかけとなって生じた戦争です。当時中国にはアヘンが大量に輸入されており、その対価として中国からイギリスに銀が大量に流出してしまっていました。アヘン中毒者の増加は社会不安を、銀の流出は経済的な不安を煽りたて、清の権威をぐらつかせます。この状況を危険視した清朝は、林則徐を派遣して全国的なアヘンの取り締まりを行いました。林則徐はアヘンを大量焼却処分するなど、かなりの強硬手段に出たため、これによってイギリスと清の関係が悪化し、武力衝突にまで至りました。

戦争終結の流れ

清は当時、国力の全貌が見えず、何百年もかけて築き上げてきた強国というイメージから「眠れる獅子」と呼ばれ、ヨーロッパから恐れられていました。しかし予想に反し、清はイギリスに対して敗北を重ねていきます。これは、産業革命を経たイギリスとそうではない中国では、戦力に差がありすぎたためです。イギリスが大運河を封鎖して北京への物資調達ルートを遮断《しゃだん》し、南京まで艦隊を進めたところで、清朝は負けを認めて和平交渉に応じました。この敗戦によって、「眠れる獅子」はただの幻想であったことが全世界に知れ渡りました。

終戦とその後

蓋を開けてみると、アヘン戦争はイギリスの圧倒的な戦力を前に、清の全面降伏に終わりました。戦争を終わらせた南京条約には、広州・福州・廈門《アモイ》・寧波《ニンポー》・上海の五港の開港や、香港のイギリスへの割譲などが記載されていました。つまり鎖国体制をやめて、自由貿易を認めさせられたのです。また、翌年結ばれた五港通商章程と虎門寨《こもんさい》追加条約によって、関税自主権の放棄と領事裁判権が認められることになりました。こういった明らかな不平等条約を締結するしかないほど、中国は完膚《かんぷ》なきまで負かされたのです。

アヘン戦争後の各地への影響として、まず欧米では、イギリスに続く形で中国から利益を得ようとする動きが出てきました。南京条約締結の2年後、清はアメリカとフランスに対しても関税自主権の放棄と領事裁判権を認めることになります。これによって中国は欧米の資本主義社会に無理やり組み込まれ、衰退の一途を辿ることとなります。

また、この頃まで朝貢貿易を続けており、中国を「大国」と信じて疑わなかった日本には激震が走りました。幕府はこのまま鎖国を続けることは難しいと判断し、南京条約が結ばれたのと同じ1842年に、外国船に物資の補給を許す薪水《しんすい》給与令が出されました。中国の敗北は、日本の鎖国体制にも影響を与えたのです。

イギリス・ザンジバル戦争

45分で終わった世界一短い戦争

時期：1896年8月27日
対立：イギリスVSザンジバル

どんな戦争か？

イギリス・ザンジバル戦争は、イギリスとアフリカ東部の国家ザンジバルの間で起こった戦いです。世界で一番短い戦争として知られ、ギネスブックにも載っています。

なんとその戦争時間は「45分」。1時間かからずに終わった戦争なのです。

ザンジバルはアフリカ東側を支配する国でした。そのザンジバルをイギリスは植民地支配しようと目論んでおり、それに対してザンジバル側のスルタン（最高権力者）も協力的でした。

「イギリスのようなヨーロッパの大国に勝てるわけがない。なら、早々に植民地支配を受け入れよう」と考えていたわけですね。

しかしそれに対して、甥のバルガシュという人物が待ったをかけました。「植民地支配なんてダメだ」とクーデターを起こし、「自分が新しいスルタンだ」と宣言したのです。この事態をイギリス側も重く受け止め、「植民地支配に協力的な軍勢&イギリス軍」VS「バルガシュの軍勢」の戦いが始まりました。

戦争終結の流れ

そして戦争が始まったのですが、どうなるのかは火を見るより明らかですね。バルガシュは約2800人の軍隊を集結させて、王宮に立てこもり、イギリスを迎え撃とうとしました。

しかしこの当時、イギリスの持っていた戦艦は世界でも最新鋭のもので、圧倒的な火力を持っていました。

バルガシュ側も大砲や機関銃を用意していましたが、イギリス軍の最初の砲撃により王宮が火事に見舞われ、大砲がまったく使えなくなってしまいました。その後、砲弾と機関銃・ライフル弾の応酬で王宮が一瞬にして廃墟になってしまい、バルガシュ側の兵の多くは「こんなの勝てるわけない」と逃げ出し、ものの45分で戦争は終結してしまいました。

この戦争、蓋を開けてみるとバルガシュ側は死傷者が約500名。それに対してイギリスはたった1人、水兵が負傷しただけだったといいます。

終戦とその後

イギリスの圧勝で終わったこの戦争の結果、ザンジバルの新しいスルタンには親イギリス派の人物が就任し、ザンジバルはイギリスの傀儡《かいらい》政権になりました。これだけの力を見せつけられたら当然のことですね。この戦争は、イギリスの強さを象徴するものだったと言えるでしょう。

シク戦争

戦後統治の失敗によって生じた二度目の戦争

時期：1845年～1846年、1848年～1849年
対立：イギリスVSシク王国

どんな戦争か？

シク戦争は、イギリスとインドのシク王国との間で起こった戦争です。インドではムガ

ル帝国の弱体化によって国内が分裂し、いくつもの国が独立しました。その中の一つ、インドの北西部にあるパンジャブ地方に成立したのが、シク教徒によって建てられたシク王国でした。当時、マイソール戦争、マラーター戦争によって南からインドの植民地化を進めていたイギリスは、インド全土を植民地化すべく、満を持してシク王国へ侵攻しました。

戦争終結の流れ

シク戦争は二度起こりましたが、どちらもイギリスが圧倒的な戦力でシク王国を倒すことになります。一度目は和平が結ばれ、シク王国は賠償金の支払いとカシミール地方をイギリスの支配下に置くことを承諾しました。しかしこの際に問題が起こりました。カシミール地方の支配にあたって、イギリスは一定の統治権を国王に認める藩王国を設置したのですが、その王がヒンドゥー教徒だったのです。民衆からしたら、それは到底受け入れられるものではありません。なぜなら民衆の多くはイスラーム教徒だったからです。この問題は、紆余曲折を経て今日まで続くカシミール帰属問題の発端ともなっています。

このようなイギリスのインドに対する不理解が一因となり、1848年にパンジャブ地方でイギリスに対する反乱が勃発しました。これが二度目のシク戦争です。今度はイギリスは、シク教徒を軍事的に完膚なきまでに叩きのめしました。この二回目の戦争でシク王国は完全に滅亡してしまいます。

終戦とその後

シク戦争によってシク王国は滅亡し、イギリスはインド全域を植民地化しました。

この戦争は、終わり方が悪かったから二回目の戦争につながってしまったとする見方もあれば、遅かれ早かれイギリスはインド全域を植民地化しただろうという見方もあります。いずれにせよ、戦争の結果シク王国は完全に滅亡することになりました。

そして当時イギリスは、征服した土地に対して直轄支配するか、一定の統治権を当時の国王に認める間接的な統治をするか選んでいたのですが、シク王国に対しては直接支配下に置くことを決定しました。

ソ連＝フィンランド戦争

小国フィンランドはいかに独立を守ったか

時期：1939年〜1940年（冬戦争）、1941年〜1944年（継続戦争）
対立：ソ連VSフィンランド

どんな戦争か？

ソ連＝フィンランド戦争は、第二次世界大戦中に勃発した、文字通りソ連とフィンランドとの間の戦争です。

ソ連は当時のナチス・ドイツとの間に協調的な条約を結ぶと、それを後ろ盾にフィンランドに対して高圧的な要求をしてきました。というのも、当時のソ連にとってフィンランドは安全保障上重要な土地だったからです。レニングラード（現サンクトペテルブルク）はソ連第二の大都市でありながら、フィンランドを含む複数の国との国境に非常に近い場所にありました。そのため、この都市を守るためにフィンランドに対して領土割譲と、フィンランド内にソ連基地を設けることを要求しました。

ソ連による一方的な要求をフィンランドは拒否します。するとソ連はフィンランドに侵攻し、ここにソ連＝フィンランド戦争の火蓋《ひぶた》が切られました。ちなみに、ソ連＝フィンランド戦争には第一次と第二次があり、前者を冬戦争、後者を継続戦争と呼びます。

戦争終結の流れ

フィンランドの戦力はソ連に圧倒的に劣るため、冬戦争はたった2週間で終わってしまうと言われていました。

しかし、フィンランドは予想を遥かに上回る粘り強さを見せます。戦争が始まった当初は冬の始まりだったので、フィンランドの兵士達は白い衣服に身を包み、雪に紛れながらスキー板に乗ってソ連軍に奇襲を仕掛けるゲリラ戦を展開しました。フィンランド人が馴染み深い自国の地形や気候を知り尽くしていたからこそ実現できた戦術です。その年の冬は例年以上に寒かったことも相まってソ連軍はかなり苦戦しました。また、フィンランド側には戦術力に長けるマンネルヘイム元帥や、正確な射撃力で敵を何百人も撃ち抜く「白い死神」と呼ばれた天才スナイパー、シモ・ヘイヘがいたため、戦争は105日間も続き泥沼化しました。

しかし、最終的にフィンランドの戦力が困窮すると、両国間で休戦協定が結ばれ、冬戦争は終結しました。

この協定でフィンランドは独立を保ったものの、自国の重要な土地をソ連に奪われてしまいます。そしてこの不満要素を残したまま、休戦中にソ連がバルト諸国を併合すると、フィンランドでは「自国もソ連に併合されるのではないか」という不安が高まり、ソ連への敵対心が再燃します。

その中でフィンランドに手を差し伸べたのは、皮肉にもあの悪名高いヒトラーでした。実は、このときナチス・ドイツとソ連の仲が悪くなり始めていたのです。フィンランドはドイツ側、枢軸国側の立場となり、ドイツがソ連に侵攻するとフィンランドもそれに便乗してソ連に継続戦争を仕掛けました。

この戦争でも両国は拮抗しましたが、戦力が尽きてしまったこと、ドイツがソ連に対し敗北に向かったことを受けて、フィンランドはドイツ側から離脱してソ連と和平を結びます。これで継続戦争は終了し、ソ連＝フィンランド戦争も終結しました。

終戦とその後

冬戦争の時点では、世界各国から同情されたり、ソ連に立ち向かう姿を見せて連合国側を奮起させたフィンランドでしたが、継続戦争でドイツ側についてしまったために、ヒトラーと同じく連合国から「悪」のレッテルを貼られ、国際世論の不興を買うこととなります（実際にはフィンランドとドイツ間で同盟が結ばれることはありませんでしたが）。

また、この戦争でどちらが勝ったかは明確ではありませんが、フィンランドはソ連からの要求を呑み、多くの領土を失ってしまうという大きな損失を被りました。つまり、フィンランドは理不尽にも戦争を仕掛けられ、自国を守るために奮闘した結果、枢軸国側になってしまったのです。

しかし、フィンランドの抵抗は大きな成果がありました。それは独立を維持したことです。フィンランドは戦力的に小国でありながら、ソ連を泥沼戦に持ち込み疲弊させたことで占領を免れました。8万7千人という多大な死者を出してしまいましたが、バルト諸国などソ連に占領された国々がソ連崩壊まで不安やいざこざを抱え込んだことを考えると、独立を維持できたのは大きな成果でした。この結末は、「ソ連に占領されてたまるか」というフィンランド人の愛国心の強さがもたらしたものです。

カタラウヌムの戦い

ローマ帝国を崩壊に導いた戦争

時期：451年
対立：西ローマ帝国・西ゴート王国VSフン族

どんな戦争か？

カタラウヌムの戦いは、451年にアッティラ王率いるフン人の軍隊と、西ローマ帝国や西ゴート王国などゲルマン人国家の連合軍との間で起こった戦いです。当時、イベリア半島北部にはゲルマン人の一派である西ゴート人が西ゴート王国を建国していたのですが、そこにフン人が侵入してきたことで、この戦争は発生しました。

このフン人がどこから来たのか、というのはあまりわかっていません。ただし、中国には「匈奴」と呼ばれる遊牧民がおり、前1世紀に漢に討伐されています。この匈奴が西に移動したのがフン人なのではないか、という説を唱える人もいます。「匈奴」→「きょうど」→「ふんぬ」→「フン」となったのではないか、という理路なのですが、ちょっと無理やりな感じもありますよね。ちなみに戦いが起きた場所であるカタラウヌムとは、今でいうフランスのシャンパーニュ地方の一部ではないか、と言われています。

戦争終結の流れ

ヨーロッパ東部のパンノニアを拠点にしていたフン人の王・アッティラは、451年にライン川を渡って西部方面に迫り、ローマの中枢まで迫るほどの勢いを示しました。このアッティラは、今なお「神による災い」「神の鞭」などとその恐ろしさが語り継がれるほど、ヨーロッパの人たちに対して恐怖を抱かせました。

しかしそんなアッティラは、カタラウヌムの原野で西ローマ・西ゴート王国の軍と戦い、撃退されました。翌年にもフン人は西ローマ領に侵入していますが、征服はできませんでした。

終戦とその後

戦争はアッティラの敗北に終わり、ヨーロッパはフン族の支配を免れました。もっとも双方ともに被害は甚大で、フン人だけでなく西ローマ帝国も国力が低下する共倒れの形となりました。特に戦場となった西ローマ帝国の衰退は激しく、476年にゲルマン人の傭兵隊長オドアケルの手によって滅亡しました。一方で、アッティラもカタラウヌムの戦いの2年後に急死したため、彼の帝国も崩壊してしまいます。

第2章

首都・領土の奪還・占領・陥落や、戦力の枯渇で終わった戦争

この章では、首都・領土の奪還・占領・陥落を目的とした戦争とその終わり方についてお話ししようと思います。

そもそも戦争はなぜ起きるのでしょうか。歴史上多くの場合、領土の奪い合いが戦争の原因になっています。第一次世界大戦も第二次世界大戦も、ここまで大規模な戦争になった要因の一つは、ドイツとフランスの間にある領土・アルザスとロレーヌが、どちらのものなのかという領土争いです。2022年に発生したウクライナの戦争も、ロシアとウクライナの領土問題が根幹にあります。

「ここは自分たちの土地なのに、なんであいつらのものになっているんだ！」

という思いが、これまで最も人々を戦争に駆り立ててきたと言えるのではないでしょうか。

そしてこの種の戦争は、目的が明確です。目的が奪われた領土の回復であれ、相手の領土を奪うことであれ、明確な戦争の終わりが見えていますよね。「ここを陥落させれば、この戦争は勝ちだ」「ここを守りきれば自分たちの勝利だ」というゴールがわかりやすいので、国民も戦争を応援しやすいですし、軍隊も士気が上がりやすい戦いです。

なお逆に、領土の回復や領土を奪うという目的を持っていない戦争は、ゴールが明確でない場合が多いとも言えます。「どうすれば勝てるのか」という明確なビジョンがないのです。領土以外に宗教問題が絡んだ戦争については、次の第3章でまとめましたので合わせてご覧ください。

さて、ウクライナ戦争も、「ウクライナの首都キーウが陥落したらウクライナの負けという結果に終わるだろう」と言われています。

歴史上、相手の国を攻めた時の当面の目標は首都であることが多いです。「相手の首都を攻め込めれば勝ちだ」という明確なゴールを設定しやすいからです。だからこそ、平時から戦争に備えて首都に城を築き、城を中心とした城下町を作り、いざという時の戦争に備えたり、そもそも戦争になって攻め込まれても守りやすい、相手に勝てる場所を中心地にしたりする例は歴史上かなり多いです。鎌倉は三方向を山に囲まれ、一方向は海になっていて、攻め込まれにくい場所だったために幕府が置かれたと言われています。戦争において、守りが万全な敵の首都をいかに攻略するかが一番のポイントになった例は限りありません。

そして逆に、首都にあえて敵を誘《おび》き寄せる戦略も存在します。ナポレオンがモスクワに遠征した際、ナポレオンはモスクワを見事陥落させて入城したのですが、ロシア軍のクトゥーゾフ将軍はモスクワに火をつけて退却しました。食糧なども残さずに逃げたため、ナポレオン軍は飢えに苦しみ、最終的には撤退を余儀なくされました。このように、あえて占領させるという戦略が取られた戦争も数多く存在しています。日本史の中でも屈指の戦術家・楠木正成は南北朝の戦争において、足利尊氏から京都を攻められた後醍醐天皇に対して「守りにくい京都は一時撤退し、あえて尊氏を入京させて、その上で京都包囲戦を仕掛けましょう」と主張しました。実際には却下されてしまいましたが、この作戦なら楠木正成率いる南朝が勝っていたのではないか、と考える人も少なくありません。

話は変わりますが、そんな領土や首都の攻め合い・奪い合いを表す言葉には「侵略」と「侵攻」という二つがあります。

英語で言うと侵略が aggression で、侵攻が invasion です。この二つの言葉、実は違う意味があることをご存じでしょうか。ウクライナ戦争も、最初は侵攻という言葉が使われていましたが、ある時期からロシアの「侵略である」という言い方がされるようになりました。侵攻は単に相手の領土に攻め込むことを指す言葉ですが、侵略は相手の政治的な独立や主権を「侵す」という意味になります。要するに、侵攻は「ただ相手側の領土に攻め込んだ」という行為そのものを指す中立的な言葉なのですが、侵略は侵略した側に非があるという価値判断を含んだ言葉なのです（これは国連の１９７４年の侵略の定義に関する決議を基にしています）。

国際政治上、侵略はそれくらい重い意味合いを持っているのです。そして侵略という言葉が使われていることからも、国連は今のウクライナ戦争に対して、ロシアを非難する立場を取っていることがわかります。

フレンチ・インディアン戦争

イギリスの植民地戦争が新たな戦争の原因をつくった

時期：1754年〜1763年
対立：イギリスVSフランス

どんな戦争か？

フレンチ・インディアン戦争は、ヨーロッパでイギリスとフランスが戦った七年戦争と同時期に起こった、アメリカ大陸における最後の英仏植民地戦争です。アメリカ東部にしか植民地を持っていなかったイギリスが、周りをほとんどフランス植民地で囲まれることを危惧して、フランスに対して戦いを挑みました。

当時、イギリス人が自分の領地のネイティブアメリカンを排除、追放していた一方で、フランス人はネイティブアメリカンと取引を行うなどし、それなりに良好な関係を築いていました。そのため、イギリスがフランス領に侵入した際に、フランス軍と共にネイティブアメリカンもイギリスと戦いました。つまりイギリス視点では「フランス軍がインディアンと手を組んだ戦争」であったため、フレンチ・インディアン戦争と呼ばれるようになったのです。

戦争終結の流れ

当初はフランス軍が優勢でしたが、イギリス本国の首相ピットが植民地戦争に力を入れるように指示すると、形勢が逆転します。一度本腰を入れてしまえば、他国に先駆けて産業革命が起こり、武力が超大したイギリスがフランスに負ける要素はありません。1759年、フランスの重要な拠点であるケベックの占領をはじめとして、イギリスは植民地をどんどん広げていきました。

終戦とその後

最終的にイギリスが勝利し、フランスの持っていた土地をほとんど奪ってこの戦争は終わりました。フランスはカナダやミシシッピ以東のルイジアナなどを失い、フランスに残された植民地はミシシッピ以西のルイジアナだけになってしまいます。この戦争一つでアメリカ内における英仏の勢力図が真逆になったのです。

こうして北アメリカのほとんどを支配したイギリスですが、良いことばかりではありませんでした。さまざまな地域で何度も展開していた英仏植民地戦争にかかった出費はかなりの痛手で、かかったお金を回収するためにアメリカ植民地に対して何度も課税を繰り返しました。その結果起こったのが、「代表なくして課税なし」という言葉でおなじみのボイコット運動であり、アメリカ独立運動です。植民地を増やすための戦争が植民地の独立運動を促すという、皮肉な結果を招いたのでした。

また、戦争による負担増はフランスも同様です。フランスは植民地の多くを失ったため国内で課税をするほかなく、その矛先は貴族や聖職者に向かいました。これが昔ながらのアンシャン・レジームをないがしろにしていると大きな反発を生み、フランス革命の機運が高まっていくのでした。

フレンチ・インディアン戦争は、アメリカ独立戦争とフランス革命戦争につながっていくことになります。

イタリア統一戦争

統一イタリア成立と、第一次世界大戦まで残る火種

時期：1859年
対立：サルデーニャ王国・フランスVSオーストリア

どんな戦争か？

イタリア統一戦争はサルデーニャ王国が中心となってイタリア半島の統一が進められた戦争です。当時のヨーロッパはナポレオン戦争や二月革命などを経て、一つの国は一つの民族で構成されるべきだという「ナショナリズム」の考え方が広く普及していきました。この考え方はイタリアにも影響を与えます。

イタリア半島は「イタリア人」で構成されていたものの、中世以降、ヴェネツィア、シチリア、ミラノ、ナポリなど複数の国家によって分断されていました。しかしナショナリズムの動きを受けて、イタリア人で統一された国を作ろうとする動きが見られるようになりました。

しかし、イタリア半島の国々はそれぞれ異なるアイデンティティを持っていたこと、イタリア北部は大国オーストリアの支配下にあったことから何度も統一に失敗してしまいます。そんな中、半島北部に位置していたサルデーニャ王国が統一に乗り出し、オーストリアと戦うことに決めました。サルデーニャ国王ヴィットーリオ＝エマヌエーレ2世に仕えた首相のカヴールが中心となり、オーストリアとの戦いが展開していきます。

戦争終結の流れ

カヴールは極めて外交戦略に長けた人物でした。小国であったサルデーニャ王国はイタリア統一戦争の前に、オーストリアに勝つために大国の後ろ盾を手に入れるべく、クリミア戦争に英仏を支援する形で参加しました（クリミア戦争については第5章で紹介していきます）。これによりサルデーニャ王国はフランスに接近し、イタリア統一戦争ではフランスから支援を受けることに成功します。フランスの後ろ盾で戦争を始めたサルデーニャ王国はだんだんと半島北部を制圧していきました。

ちなみにイタリアの他地域に目をむけると、イタリア中部はフランス軍が駐屯していましたが、フランスと領土を交換することでその場所も平定しています。また、同時期にイタリア南部はガリバルディという革命家によってサルデーニャ王国とは別に統一が進められていました。その後、カヴールとガリバルディは会談を開き、ガリバルディによって統一された南部は全てエマヌエーレ2世に献上されることになり、サルデーニャ王国は半島の大部分を統一することに成功します。これにより、当初の目的であるイタリアの統一がほぼ叶うことになったといえます。

終戦とその後

こうしてサルデーニャ王国は順調に統一運動を進めたのですが、一つ問題が発生しました。サルデーニャを支援していたフランスが、イタリア統一が完了する前にオーストリアと勝手に講和してしまったのです。これによりサルデーニャ王国はフランスからの支援を受けられなくなり、イタリア統一という目標を完全に達成しないまま、この戦争は終わってしまうことになります。戦後、北イタリアのヴェネツィアはオーストリアの支配下に留まり、イタリア中部の教皇領もフランスの支配下のままでした。そのため、この戦争はイタリアにとって消化不良のままに終わります。

それでも一応の統一ができたため、イタリアにはエマヌエーレ2世を国王とするイタリア王国が成立しました。前述の二地域は比較的すぐにイタリア王国によって占領されましたが、それでも回収しきれなかった土地は「未回収のイタリア」と呼ばれ、イタリアとオーストリアの対立の種として、第一次世界大戦まで燻《くすぶ》り続けます。

南北戦争

戦争の大義を掲げた北部の逆転勝利

時期：１８６１年〜１８６５年
対立：アメリカ北部VSアメリカ南部

どんな戦争か？

南北戦争は、アメリカ合衆国が北と南で対立した戦争です。

アメリカはイギリスから1776年に独立して以降、北部と南部で対立していました。というのも、北部と南部は性格がまったく違ったのです。北部では商工業が盛んで、造船・製材などをはじめとした工業が行われており、イギリスから経済的に自立していました。対して南部では、奴隷制を使った綿花のプランテーションが中心、つまり綿花を生産してイギリスに買ってもらう農業地域で、経済的にはイギリスに依存したままだったのです。

特に主張が食い違っていたのが、奴隷制の扱い方です。

「奴隷制なんていらない」とする北部と、「奴隷制は必要だ」とする南部。そんな南北対立がある中で、奴隷制に反対するリンカンが大統領に当選します。「このままでは奴隷制が廃止されて、ウチの農業が立ち行かなくなる」と懸念した南部諸州は連邦を脱退し、アメリカ連合国を成立させます。これが北部VS南部の対立である南北戦争（シビルウォー）の発端です。

戦争終結の流れ

最初は南部が優勢でした。イギリスもフランスも「たくさん貿易してくれる南部を応援する」ということで南部に肩入れし、北部は追い詰められていきます。そこで、北部は戦争の目的を変えました。リンカンは、1862年〜1863年に奴隷解放宣言を出し、「自分たちが南部と戦うのは、奴隷を解放するためだ」という明確な目的を打ち出したのです。

戦争のゴールは多くの場合、ただ「相手に勝つか負けるか」です。

しかし南北戦争のように、「南部のこういう悪い行いに勝つために、我々は戦う」「だから大義がある」という戦争の大義をゴールとして掲げると、戦う人たちにとっても士気が上がり、他の国も助けてくれるようになります。イギリスやフランスも、国内の世論が「大義がある北部を助けた方がいいのではないか」という方向に流れ、南部から北部への支持に切り替わりました。こうして北部はどんどん挽回していきます。

終戦とその後

北部は1865年4月、南部のアメリカ連合国の首都であるリッチモンドを陥落させました。戦争の常として、首都が陥落するとそこからは早いもので、翌週には南部のリー将軍が降伏します。南部地域の一部は長く抵抗し続けますが、6月頃には南北戦争が終結したのでした。

この戦争は、お互いにかなりの血を流した戦争になってしまいました。両軍合わせて61万8千人（北軍は36万人、南軍が25万8千人）もの戦死者が出てしまったのです。皮肉なもので、この数字は第一次世界大戦・第二次世界大戦でのアメリカの犠牲者よりも多いのです。もともと同じ国の人たち同士が戦った内戦でこれだけの血が流れたのは、主義主張の対立だったために泥沼化してしまったのと、ある程度戦力差が拮抗していて最初は南部の方が優勢だったため、南部も「まだ戦える」と最後まで抵抗したためでしょう。

それでもこの戦争は、北部が明確にしていた「奴隷を解放するため」という目的が果たされた形で終了することになります。

米西戦争

キューバ独立を争ったはずが、アメリカの植民地拡大に結び付く

時期：１８９８年
対立：アメリカVSスペイン

どんな戦争か？

米西戦争とは、キューバをめぐって起こったアメリカ対スペインの戦争です。キューバ

はもともとスペインの支配を受けていましたが、アメリカの独立をきっかけとして1868年から独立運動が始まり、1895年にスペインに対して正式に独立を宣言しました。しかしスペイン側は、砂糖プランテーションによって利益を上げているキューバを手放す気などなく、独立運動を強く弾圧していました。そこに介入してきたのがアメリカです。

アメリカ国内のマスメディアが、スペイン政府のキューバ国民に対する残虐行為を繰り返し扇情的に報じたため、アメリカ世論は開戦へと向かっていきました。当時のアメリカ大統領マッキンリーやスペイン政府は戦争を回避しようと動きましたが、その努力もむなしく戦争は勃発してしまいます。そのため、この戦争は「メディアによって起こされた戦争」と呼ばれることもあります。

戦争終結の流れ

かなり短い期間でこの戦争は終わりました。大航海時代には世界を席巻したスペインですが、産業の発展が不十分で、産業革命に成功していたアメリカに勝てるほどの兵力はなく、戦争はたった4か月程で終結したのです。

ちなみに、米西戦争はキューバをめぐるアメリカ・スペイン間の戦争のはずなのですが、戦場となったのは主にアジアのスペイン領植民地でした。アメリカがグアムやフィリピンにあるスペイン基地を戦略的に攻撃したためです。フィリピンでは、独立の声を上げるアギナルドと協力してスペインを攻撃しました。

終戦とその後

アメリカの圧勝で、スペインはアメリカの要求を全面的に呑むことになりました。アメリカはキューバの独立を承認するパリ講和会議で、戦争の勝者としてスペイン領であったフィリピン、グアム、プエルトリコを獲得しました。フィリピン確保はアメリカにとって東アジア進出の重要な足がかりとなりましたが、アギナルド率いるフィリピン独立軍からしてみれば、スペイン植民地からアメリカ植民地になっただけで独立はできておらず、何も状況は変わっていません。怒った独立軍の矛先はアメリカへと向かい、その後のアメリカ・フィリピン戦争の勃発につながりました。

また一方でスペイン国民は、この敗北によってスペイン帝国の終焉を感じ取り、大きな衝撃を受けました。「もう自分たちは、あの『太陽の沈まぬ国』の栄光には縋っていられないんだな」と思ったことでしょう。

南アフリカ戦争（ブール戦争）

植民地戦争はイギリスの勝利に終わったが……

時期：1899年〜1902年
対立：イギリスVSオレンジ自由国・トランスヴァール共和国

どんな戦争か?

南アフリカ戦争(ブール戦争)とは、オランダ系入植者であるブール人とイギリスとの間で行われた植民地獲得戦争です。南アフリカにはイギリス領ケープ植民地の他に、ブール人がオレンジ自由国とトランスヴァール共和国を建国していましたが、この地で金鉱が発見されたことをきっかけに、イギリスが植民地を拡大するため戦争をしかけました。

一方的に侵略された経緯から、ブール人はよく先住民と混同されがちなのですが、いま述べたようにこの戦争はあくまで入植者、つまり侵略者同士の戦争です。そのため、一連の流れはアフリカ分割における資本主義国家の覇権争いとして見ることができます。

戦争終結の流れ

イギリス植民相ジョゼフ=チェンバレンはアフリカにおける植民地拡大を積極的に支持

しており、彼の命によって1899年、トランスヴァール共和国にイギリス軍が侵入、開戦しました。同じブール人国家としてオレンジ自由国とトランスヴァール共和国は同盟を結び、近代兵器を用いてこれに抵抗しました。「どうせアフリカの小国、自分たちの敵ではない」と、当初イギリスはすぐに制圧が完了すると考えていましたが、意外にもこの戦争は長期化します。その理由は、イギリスにとっては初めての近代兵器を持つ国家との戦争であり、勝手がわからなかったことや、ブール人がゲリラ戦法を使ってイギリス兵を翻弄《ほんろう》したことなどが挙げられます。

とはいえ、さすがに天下の資本主義国家イギリスと、アフリカの小国家では動かせる兵や資本の数が違います。ブール人は追い詰められていく一方でした。

終戦とその後

ブール人の抵抗虚しく、1902年にオレンジ自由国とトランスヴァール共和国はイギリス領への併合を受け入れる講和条約を締結しました。イギリスの勝利です。こうして拡大したイギリス領は、8年後に南アフリカ連邦と名前を変えます。

しかし勝利したとはいえ、小国相手に2年もかけて戦争していたイギリスは帝国としての権威を大きく失います。ブール人への同情によって欧州中から非難されたことも追い打ちをかけました。またほぼ同時期にアメリカが台頭してきており、これ以降イギリスは世界帝国の看板を降ろし、じわじわと低迷期に入っていくことになるのです。

コンスタンティノープル包囲戦

小さなミス一つで滅んだ要塞都市

時期：１４５３年
対立：ビザンツ帝国VSオスマン帝国

どんな戦争か？

イスラーム勢力のオスマン帝国が、キリスト教国家であるビザンツ帝国の首都コンスタンティノープルに侵攻した戦いです。ビザンツ帝国はコンスタンティノープルを首都として繁栄した帝国で、395年に東西分裂した古代ローマ帝国のうちの片方、東ローマ帝国の別名でした。それに対してオスマン帝国という国が戦争を始めます。

オスマン帝国は1299年に成立した、イスラーム教スンナ派を信仰する国家です。オスマン帝国は外敵からの侵攻で一時滅亡しかけますが、その後なんとか復興し、15世紀半ばに即位したメフメト2世の時には積極的な対外政策を打ち出していきました。彼はアナトリア（現在のトルコ共和国に位置する）からの領土拡大を目的に、各地へ遠征します。

特にビザンツ帝国の首都コンスタンティノープルは交易の要所であったことから地理的重要性が高く、その地を入手すべくメフメト2世はビザンツ帝国に戦いを挑みました。

戦争終結の流れ

しかし、簡単にはコンスタンティノープルは攻略できません。なにせ周囲三方向を海に囲まれ、濠《ほり》と丈夫な城壁も備わっていることから、陥落させるのが非常に難しいことで有名だったのです。

事実、歴史上さまざまな勢力がビザンツ帝国を攻め落とそうとコンスタンティノープルに侵攻しましたが、幾度となく失敗しています。

とはいえ、当時のビザンツ帝国はかなり衰退しており、その領土もコンスタンティノープルとその周辺だけとなってしまっていたことから、メフメト2世はビザンツ帝国に侵攻することを決め、短期決戦を決行します。

コンスタンティノープルに船で攻める場合、金角湾という場所を通らなければならないのですが、ここはビザンツ軍によってブロックされていました。そのため、メフメト2世は驚きの計画を実行します。なんと、オスマン帝国軍の船を山越えさせたのです。水上で利用する船を陸上に上げ、丸太を用いて転がすことで船を湾内のビザンツ軍守備線の内側まで移動させたのです。この大胆な作戦が成功し、ビザンツ帝国軍は窮地に立たされることとなります。

終戦とその後

金角湾の包囲網が崩れたビザンツ帝国でしたが、コンスタンティノープルはその城壁の丈夫さのために、なかなか陥落にまでは至りません。この絶望的な状況でも、ビザンツ軍は反撃し続けていたのです。しかし、ここでビザンツ帝国側はある小さなミスを犯してしまいました。なんと、城壁の門に鍵をかけ忘れてしまったのです。これは小さなミスでしたが、ビザンツ帝国にとっては致命的なミスでした。オスマン軍がその門から雪崩のように押しかけてきたのです。

オスマン軍が侵入したコンスタンティノープルは間もなく陥落しました。そして、ビザンツ皇帝コンスタンティノス11世もオスマン軍の中で消息不明となり、古代ローマ帝国の系譜を継ぐビザンツ帝国は滅亡してしまったのです。その後、コンスタンティノープルはオスマン帝国の首都となりイスタンブールと改称されました。これ以降オスマン帝国はヨーロッパ諸国に対する脅威として君臨していきます。

コンスタンティノープル陥落は、ヨーロッパにとってオスマン帝国の脅威の象徴だったと言えるでしょう。

フォークランド戦争（マルビナス戦争）

現在も未解決の領土問題はどのように生まれたのか

時期：1982年
対立：イギリスVSアルゼンチン

どんな戦争か?

フォークランド戦争は、フォークランド諸島(アルゼンチンでの呼称はマルビナス諸島)の領有をめぐってイギリスとアルゼンチンが軍事衝突した戦争です。

フォークランド諸島は大西洋南西部、アルゼンチン沖にある諸島ですが、歴史的にスペインとイギリスが互いに領有を主張しており、アルゼンチンの独立後はスペインに代わりアルゼンチンが領有を主張していました。

アルゼンチン大統領のガルチェリは、自身の支持率を上げる目的から、当時事実上イギリスに占領されていた諸島を奪還しようとします。結果的に国民からも諸島奪還に多くの支持が集まったことから、アルゼンチンは諸島の軍事占領を決行します。

これにイギリスは猛反発します。時のイギリス首相サッチャーが国内外に強硬的な政策を打ち出していたこと、イギリス国民が戦争を支持したことからも、イギリスは軍を派遣してアルゼンチン軍と衝突しました。

戦争終結の流れ

アルゼンチン軍はフォークランド諸島の主都スタンリー付近に上陸し、瞬く間に島のイギリス軍を降伏させました。このニュースはアルゼンチン国民の愛国心を煽り、同国内でガルチェリ政権を支持する声が高まりました。この時点でガルチェリ本人も戦争の勝利を確信します。しかし、イギリスはアルゼンチンに対抗するため本国から援軍を派遣します。イギリスはアルゼンチンの主力艦を沈没させるなど、着実に反撃していきました。

やがて両国ともに大きな被害が出ますが、双方拮抗した状態で戦闘が続いていきます。その後、物資を消耗したイギリスは一時的に窮地に立たされるも、諸島内のアルゼンチン軍拠点を次々と陥落させ、最後の拠点スタンリーに攻め込みました。

終戦とその後

最後のスタンリー戦でもイギリス軍に反撃して大損害を与えたアルゼンチン軍でしたが、イギリス艦隊や砲兵隊の前になす術《すべ》がなくなって、ついに降伏します。しかし領土問題は棚上げされたままでした。この戦争は両国に多大な損失を与えた割には、戦争のきっかけであった領土問題は解決されないまま終結しました。そのため、戦闘行為が終わっただけで諸島の領有に関しては現在も対立が続いており、両国が所有を主張し合っています。

また、この戦争を受けてイギリス首相のサッチャーは国民からの支持率を急激に上昇させました。国外に敵を作る事で国内の人民を団結させた例は歴史上多く存在しますが、それは第二次世界大戦後の現代にも通用するのです。結局、アルゼンチン、イギリス両国にとってこの戦争は国の指導者の権威を高揚させるための政争の具としての側面が強く、肝心の領土問題については解決されないまま両国の対立は現在まで尾を引いています。

第3章

宗教問題が関わり、長期化したり特徴的な終わり方になった戦争

この章では、宗教が影響した戦争の終わり方についてまとめました。

戦争はさまざまな原因で発生しますが、宗教というのはその大きな一つです。

多くの人が「戦争には行きたくない」と思うことでしょう。みなさんも徴兵制があったら嫌だと考えると思います。また日本で徴兵制が実施されたときも、多くの人がいろんな手段で徴兵されないように逃れる手段を考えたと言われています。なぜ「戦争には行きたくない」と思うのかといえば、答えはシンプルですよね。危険な目に遭って、怪我をしたり命を落としてしまったりするリスクがあるからです。人間、死にたくないから戦争はしたくない、戦場にも行きたくないわけです。

でも、歴史を紐解くと、「戦争に行ってもいい」と思ったり、もっというと自ら進んで「戦争をしたい」と思う人たちもいます。それは、宗教が関連している場合です。

例えばイスラーム教徒は、世界史の中では多くの戦争で勝利し、強い軍隊を有していた歴史があります。オスマン帝国はとても強い国として知られていて、それ以外にもイスラーム王朝は軍事的に強かった国がいくつもあります。この理由の一つは、イスラーム教では他の宗教との戦争は「聖戦=ジハード」とされており、その戦争で死んだ者は天国に行くことができると信じられていたからだと言われています。戦って死んでも、死んだ後に救われることが決まっているから喜んで死を選んだ、ということです。死を恐れない、死を覚悟して戦う軍隊というのはとても恐ろしいもので、相手にしたくないものです。とはいえ、そんなイスラーム教徒に対してキリスト教も十字軍という戦いを挑み、聖地の奪還を果たしていることには、宗教というものの力を感じざるを得ません。

このように、宗教や信仰・神さまが絡んでくると、人間は戦争を厭《いと》わなくなる傾向があります。歴史的には自身の信仰が認められないとき、改宗を強制されるときなどには必ずと言っていいほど反乱が起こりますし、キリスト教なんて200年のうちに8回も十字軍を派遣して「聖地イェルサレムを奪還するぞ」と遠征しています。ちなみに百年戦争でも、聖女ジャンヌ＝ダルクは「神の声を聞いた」と言って戦って、その勢いでフランスは勝っていますから、やはりこれも宗教の力の強さを実感させられます。

日本人からしたらこの感覚はわからないという人も多いと思いますが、太平洋戦争のときに「お国のために」「天皇のために」と死んでいった人たちも多いことを鑑みると、世界中どこの人にもある程度共通する感覚なのかもしれない、とも思えます。政治的なイデオロギーも、宗教と同じように人々を非合理的なまでに戦争に駆り立てるファクターだと言えるでしょう。構成上、本章ではなく第5章で紹介する太平洋戦争も、見方によってはイデオロギーが絡んで長期化した戦争とも言えます。

　ここまで見てきた戦争の大半は、打算や合理的判断によって開戦し、終結してきたものが多かったですが、宗教が関わると、時に非合理的なまでに戦争はエスカレートします。そういった戦争は、往々にしてイレギュラーな展開を迎えるのです。

　それでは、宗教が絡んだことで、長期化したり特徴的な終わり方をした戦争について学んでいきましょう。

百年戦争

一人の聖人が戦況を逆転させ、フランスを勝利に導いた

時期：1337年～1453年
対立：イギリスVSフランス

どんな戦争か？

百年戦争は、フランスとイギリスの領土問題とフランスの王位継承問題がきっかけで起

こった戦争です。今ではイギリスの領土はヨーロッパ大陸対岸の島部に限定されていますが、中世にはイギリスも、その前の戦争で獲得した領土を大陸側に持っていました。フランスからしたらイギリスに領土を奪われている形になりますから、「なんとか取り返せないか」と考えていました。

さて、そんな中でフランスのカペー朝が14世紀半ばに断絶し、代わってヴァロワ朝が成立し、その初代国王にはフィリップ6世が即位しました。しかし即位にイギリス王エドワード3世が異議を唱えます。エドワード3世は「自分の母はフランス・カペー朝の出身だから、自分にもフランス王位継承権がある」と主張したのです。

こう言い出した背景には、毛織物産業で栄えていたフランスのフランドル地方や、ぶどう酒の生産地のギエンヌ地方を巡る利害の対立があったといいます。「ドル箱のフランドル地方とギエンヌ地方を手に入れたい」とお互いに考えていたわけですね。

戦争終結の流れ

さて、そんな百年戦争はイギリスに優勢で進みました。長弓兵を用いて戦い、クレシーの戦いでイギリス軍がフランス軍を圧倒します。さらに、1356年のポワティエの戦いではなんとフランス王を捕虜にしました。その後、1422年に即位したフランス王シャルル7世の拠点、オルレアンを包囲し、このままイギリスが勝利するかと思われました。

しかし、ここで有名な聖人、ジャンヌ＝ダルクが登場します。ただの農家に生まれたジャンヌ＝ダルクは、「神のお告げを聞いた」と言って、フランスを救うべく立ち上がったと伝えられています。このジャンヌ＝ダルクの登場でフランス軍の士気は一気に上がり、なんとオルレアン奪回に成功してしまうのです。歴史上の戦争でも、予想外の結末という点では指折りでしょう。

ところで、百年戦争というこの戦争の名前は、本当に100年間続いていたというよりも、「とにかく長かった」ということを示しています。だって、実際には100年以上続いていますしね。

「なんでそんなに長く戦争していたの?」と疑問に感じる方もいるかもしれませんが、この時代の戦争は、今の時代の戦争とはかなり違います。

先ほど「イギリスとフランスの戦い」と言いましたが、そもそも「国家」という概念がきちんと定着したのは近代になってからです。中世の戦争は主に諸侯同士の争いでした。この百年戦争も、イギリス王家がフランス王位の継承権を主張したことがきっかけとなっており、「イギリス王家VSフランス王家」の対立に過ぎなかった、とも言えるのです。例えばイギリスに住んでいる人でも「ああ、○○さんのところ、今戦争しているんだってね」というくらい、「ひとごと」だったわけです。

終戦とその後

この戦争は、長く続いたことによって、フランスに勝利以上の意味をもたらすことになります。というのも、フランスでは百年戦争以降、諸侯や騎士が没落してしまったのです。戦争が長く続きすぎてしまったために、戦費が嵩んでしまったり、跡取りが死んでしまったりしたのです。

一方で、国王は財政を再建し、常備軍の設置を行いました。自分たちが意のままに動かせる軍隊を持つようになったということです。

これによりフランスでは王権が諸侯に比べて大幅に強くなり、中央集権化が進みます。またイギリスはこの戦争の敗北でカレーを残して大陸での領土を失い、これ以降ブリテン島の統治に集中するようになりました。「イギリス＝ブリテン島」のイメージは、百年戦争が生んだものとも言えるのです。

レコンキスタ

500年以上続いた再征服運動

時期：711年～1492年
対立：イスラーム教勢力VSキリスト教勢力

どんな戦争か？

レコンキスタとは、「レ（もう一度）」と「コンキスタ（征服）」が合わさった「再征服」

という意味の言葉で、ここではキリスト教勢力によるイベリア半島（現在のスペインやポルトガルのある地域）の再征服を指します。

もともと、イベリア半島は歴史的に古代からヨーロッパ民族との関わりが深く、5世紀に誕生した西ゴート王国では国王がキリスト教カトリックに改宗しました。しかし8世紀ごろ、当時栄えていたイスラーム勢力であるウマイヤ朝がイベリア半島に侵入します。その際、西ゴート王国は滅亡し、その後も新たに後ウマイヤ朝が成立したりと、イベリア半島はイスラーム教を信仰する国家によって支配されました。

そのイスラーム勢力に占領されたイベリア半島を、キリスト教勢力が「再征服」するという動きがレコンキスタなのです。

レコンキスタは、なんと500年間も続きます。断続的ではありますが、両勢力による武力的な衝突が起こり続けたのです。

戦争終結の流れ

イベリア半島で後ウマイヤ朝が滅亡すると、レコンキスタが激しくなりました。「後ウマイヤ朝が分裂し、イスラーム教国側が混乱しているうちに半島を取り返そう」と、キリスト教国が考えたからです。こうして、キリスト教の国々が連合となって征服を狙うという、キリスト教世界の一大イベント「レコンキスタ」がスタートします。

イベリア半島にあったイスラーム勢力は、レコンキスタを迎え撃つため、モロッコで強大化していたムラービト朝に支援を求めます。ムラービト朝からの攻撃に遭い、キリスト教勢力は怯《ひる》んでしまいました。その後、今度はムラービト朝がイベリア半島で幅を利かせるようになっていき、やがてムラービト朝に取って代わったムワッヒド朝が力を増していくのですが、この間もずっとイベリア半島では、イスラーム勢力とキリスト教勢力が戦闘を繰り返しながら睨み合いを続けます。

しかし、次第にキリスト教世界の膨張が進んでいきます。農業の効率化による人口増加に加え、キリスト教における聖地巡礼ブームが到来したことがその理由です。スペインにはキリスト教の聖地があったことから再びレコンキスタが活発化したのでした。その勢いに押され、イスラーム勢力は徐々に後退していきます。カトリックを信仰するカスティーリャ王国、アラゴン王国（この二カ国は1479年に統合しスペイン王国となります）、ポルトガル王国が国土を拡大し、残るイベリア半島のイスラーム教勢力はナスル朝だけになりました。

終戦とその後

残ったナスル朝はその後200年以上にわたりイベリア半島でその地位を確立していましたが、最終的には衰退していきました。最後、ナスル朝の中心地であったグラナダがスペイン王国の軍に包囲されると、当時の君主であったボアブディル（ムハンマド11世）は降伏を決意します。スペイン王国に対し、王の宮廷だったアルハンブラ宮殿の鍵を明け渡したことでナスル朝が滅亡しました。500年に及び、幾度となく戦闘が繰り返され多くの犠牲者が出たレコンキスタは、最後はナスル朝による無血開城で幕を閉じたのです。これでイベリア半島からイスラーム勢力は一掃されました。

500年も続いているところをみると、もう、キリスト教国たちの「粘り勝ち」のような印象を受けるのは私だけではないと思います。

レコンキスタの終了はその後の世界にも大きな影響を与えました。ナスル朝を滅亡させたスペイン王国は安定した国土を入手したことで栄え、より積極的な対外政策を進めていきます。彼らはポルトガルとともに次々と航路を探検していき、歴史の転換点となる大航海時代が始まっていくことになります。

フス戦争

宗教改革が生んだ戦争

時期：1419年～1436年
対立：フス派VS神聖ローマ帝国

どんな戦争か？

フス戦争とは、1419年にボヘミア（現在のチェコ）で起きたフス派による反乱です。

フスは、腐敗した教会や教皇のあり方を疑問視し、聖書に忠実な信仰を主張した、いわゆるプロテスタントの先駆者でしたが、１４１４年のコンスタンツ公会議で異端とされ、翌年に火刑にされていました。火刑は肉体を燃やす罰ですが、最後の審判の時まで身体を残しておく必要があると考えるキリスト教の価値観の中では、一番恐ろしい厳罰だと言えます。

「フスの言っていることは正しかったのに、なぜフスが殺されなければならないんだ」と、処刑に強く憤ったフス派の民衆が蜂起し、神聖ローマ皇帝ジギスムントとの間で15年間にわたって戦いが行われました。

戦争終結の流れ

皇帝は初め、鎮圧軍を「十字軍」と称してフス派の鎮圧を図っていました。ですが、フス派の勢いはかなり強く、鎮圧は失敗に終わってしまいます。その後、この戦争の終わりを「和平」という方向で模索するようになっていったのでした。

一方で戦争が長引くにつれて、フス派内部も穏健派と急進派が分かれて対立するようになっていきました。これに目を付けた皇帝ジギスムントは、「穏健派と協力して急進派を制圧し、穏健派と和平を結ぶことができれば、この反乱をうまく収拾させることができるのではないか」と画策しました。

終戦とその後

和平が結ばれ、穏健派はフス派の信仰を許されてフス戦争は終わりました。フス派の急進派が壊滅したため、フス派の敗北という印象がどうしても強くなりがちですが、実際は皇帝軍、フス派の双方が譲歩するような内容で講和が締結されています。フス派は信仰を許され、皇帝ジギスムントはカトリック教会の財産没収を行うこと、またチェコ語を公用語とすることなどの妥協をおこなった上でボヘミア国王となることが認められました。

15年間続いた戦争は、結果としてボヘミアの国力を疲弊させました。また、フス派の信仰は認められましたが、その後も幾度かカトリック教会とは衝突し続けました。16世紀に宗教改革が起こると、その対立はさらに激しくなり、1618年に三十年戦争のきっかけであるボヘミアの反乱が起こりました。

三十年戦争

「国際条約」を生んだヨーロッパ最大の宗教戦争

時期：1618年〜1648年
対立：神聖ローマ帝国・スペイン王国などVSボヘミア王国・スウェーデン・フランスなど

どんな戦争か？

三十年戦争とは、旧教（カトリック）と新教（プロテスタント）の対立から起こった、ヨーロッパ最大の宗教戦争です。発端は、神聖ローマ帝国領土内のボヘミアで新教徒が起こした反乱でしたが、スウェーデンやフランスなどさまざまな国がそれぞれの思惑を抱えて参戦し、次第に国際的な戦争に発展していきました。なんとこの戦争で、帝国領土内の人口は当初の三分の二程度にまで減少したとも言われており、その戦禍の悲惨さから「17世紀の危機」の一つに数えられています。

戦争終結の流れ

開戦当初は、神聖ローマ皇帝率いる旧教軍が優勢でした。しかし、新教国家スウェーデンの王グスタフ＝アドルフが新教徒側に付いて参戦すると、状況は一変します。彼は誠実なプロテスタントであり、だからこそ新教側の苦境を救うべく参戦したのです。アドルフは、自ら新しい銃や大砲を導入して近代化させた軍隊を率いて勝ち進み、旧教軍はスウェーデン軍に敗北します。

さらにその後、旧教国であるはずのフランスが、なんと新教側を支援します。その理由は、神聖ローマ帝国、ひいてはハプスブルク家の権力を削ぐためでした。フランスは最初間接的にスウェーデンを支援し、最終的には自らの兵まで投入しました。旧教側には、同じハプスブルク家が支配するスペインが参戦しましたが、形勢は依然として不利のまま、旧教軍は敗北を重ねていきました。宗教と政治が複雑に絡まって、戦乱が大きくなっていってしまったのです。

終戦とその後

結局、旧教・新教どちらの陣営もかなり疲弊して、戦場となったドイツは荒廃します。お互いに精魂尽き果てたことで和平の機運が高まり、世界最初の近代的な国際条約とされるウェストファリア条約が結ばれることになりました。三十年戦争は「戦争の終わり」という考え方を取り入れた最初の戦争だったと言えるかもしれません。

三十年戦争では、明確にどちらの側が勝った・負けた、という優劣はありませんでした。しかし、この条約によって神聖ローマ帝国は実質的に解体されてしまいます。

この条約ではまず、信教の自由を部分的に認めたアウクスブルクの和議（1555年）が再確認され、帝国内の人々はルター派だけでなくカルヴァン派も信仰して良いことになりました。つまり旧教側が守ろうとした、宗教によって保たれていた帝国内の秩序が終焉を迎えたのです。次に戦争の対価として、帝国の領土からアルザス地方をフランスに、西ポンメルンをスウェーデンに割譲することや、スイスとオランダの独立を承認することが定められました。これによって帝国の領土は激減します。

最後に、残った帝国の領土においても、300以上ある領邦の各領主が統治権を持つことになりました。三十年戦争の結果、神聖ローマ帝国は国を統治する権力さえも奪われ、名ばかりの存在となってしまったのです。

大トルコ戦争

オスマン帝国の落日を象徴する敗戦

時期：1683年～1699年
対立：オスマン帝国、ハンガリー、フランスVSオーストリア、ポーランド、ロシア、ヴェネツィア、神聖ローマ帝国諸侯など

どんな戦争か？

大トルコ戦争での主な対立構造は、オーストリア対オスマン帝国です。

当時、新教徒勢力がいたハンガリー周辺の地域に対して、ハプスブルク家率いるカトリックのオーストリアが圧力をかけると、これを不服としたトランシルバニアと呼ばれる地域で武力蜂起が発生しました。

これだけで終われば、ただのオーストリア内の宗教上の「いざこざ」でしかありませんが、実はこの反乱には裏がありました。武力蜂起は当時のトランシルバニア公、テケリ・イムレによって引き起こされたのですが、彼はオスマン帝国と同盟を結んでいたのです。オーストリアとオスマン帝国はハンガリーの領有を巡って対立していたため、オーストリアに敵対するテケリ・イムレとオスマン帝国が協力した、という構図です。

このトランシルバニアでの蜂起に呼応する形でオスマン帝国はオーストリアの首都ウィーンに対して軍隊を派遣しました。これは第二次ウィーン包囲と呼ばれます。当時内政が不安定化していたオスマン帝国は、自国の威信を回復するためにもオーストリアに宣戦布告をしたのです。ここに大トルコ戦争の火蓋が切られました。

戦争終結の流れ

第二次ウィーン包囲ではオスマン帝国が圧倒的な戦力を用いて攻め込みましたが、ウィーンの城壁が堅牢であったために戦闘は膠着《こうちゃく》状態に陥りました。最終的にウィーンは陥落寸前になったものの、ウィーン攻略に戦力を使いすぎたオスマン帝国は敗れ、ウィーンから撤退します。

その後、ローマ教皇インノケンティウス11世によってオスマン帝国に対抗するためのキリスト教国間の同盟、神聖同盟が組まれると、ヴェネツィア、ロシアなど数多くのキリスト教国が続々とオーストリアを支持する形で参戦し、オスマン帝国と戦いました。しかし、オーストリアと対立していた大国フランスが、キリスト教国であるにもかかわらずオスマン帝国を支援していたことから戦況は泥沼化します。宗教的に全然違う国を支援するというのは、当時の他の戦争と比べても異例です。それほどまでにフランスはオーストリアが憎かったのですね。

最終的には、オーストリアの天才的軍事司令官オイゲンの活躍、戦争終盤でのフランスの戦線離脱、ゼンタの戦いのオスマン帝国の大敗で戦争は終結に向かいました。

終戦とその後

１６９９年、カルロヴィッツ条約の締結によって大トルコ戦争は終結します。この戦争では、敗れたオスマン帝国が弱体化する一方でキリスト教国が力を増し、ヨーロッパの勢力構図が大きく変わりました。

戦争の流れを見ていただければわかる通り、オスマン帝国は最初、勝てると思ってこの戦争を挑みました。にもかかわらず大敗北をしたオスマン帝国は国家壊滅の危機に陥ってしまいます。

この戦争以前、オスマン帝国はヨーロッパ諸国にとって、脅威でした。ビザンツ帝国を滅亡させたり、地中海の制海権を握るほど強大だったからです。

しかし、オスマン帝国が大敗北を喫したことで、その脅威が薄れ、同時にその弱体化が露呈しました。今後オスマン帝国はかつての栄光の見る影も無く、１９２２年に滅亡するまで衰退の一途を辿っていきました。そして相対的にヨーロッパ諸国は強力化します。カルロヴィッツ条約でポーランドやヴェネツィアは領土を獲得し、特にオーストリアはハンガリーの大部分を獲得しました。そのため、オーストリアは今後勢力を増していきます。

ただ、同時に他民族の多い土地を自国に組み込んだ事で後の民族運動の火種を抱えることともなりました。また、1700年のコンスタンティノープル条約ではロシアがオスマン帝国から黒海の一部、アゾフ海を入手しました。このことで新興勢力だったロシアの強力化、今後200年に続き多くの国との対立を招いたロシアの南下・海上進出の第一歩が始まったのです。

チベット動乱

今でも続く中国・インド対立の原因

時期：1959年
対立：チベットVS中華人民共和国

どんな戦争か？

チベット動乱は、チベットが中華人民共和国（中国）の支配から脱するために起こした暴動です。チベットはダライ＝ラマと呼ばれる最高指導者の下で統治される宗教国家でした。清王朝が成立すると、チベットは理藩院《りはんいん》と呼ばれる機関を通して清に間接的に支配されますが、その後清が滅亡して独立を宣言します。

ようやく独立できたチベットでしたが、第二次世界大戦後に転機が訪れます。１９４９年に中華人民共和国が樹立されたのです。１９５０年に中国は清以来のチベット統治権を口実として、チベットを併合しようとします。これにチベットの住民は猛反発しました。ここで中国は軍隊を用いてチベット人を弾圧し、強制的にチベットを併合します。しかし、チベットの人々は反発を繰り返し、１９５９年にそれがピークを迎えました。

戦争終結の流れ

中国軍が侵攻した頃からチベット人の一部は武装蜂起をしていましたが、１９５９年には中国に対して大規模な反乱を起こしました。地主層は中国の社会主義が浸透することで自らの土地が失われるのを恐れ、市民は自分たちが中国に支配されることを危惧したのです。そして支配層が中心となって、ダライ＝ラマ14世が反乱の指導者と位置付けられました。彼はチベットの独立を宣言し、反乱は広がってチベット全土に及ぶ大規模なものとなっていきます。しかし、対する中国は軍事的な弾圧をさらに強めていきました。

終戦とその後

軍事的に窮地に立たされたダライ＝ラマ14世はある行動に出ました。なんと彼は多くのチベット人を引き連れ、チベットから亡命したのです。彼らはヒマラヤ山脈を越えインドへ入り、インドに亡命政権を樹立しました。本国の領土から国のトップが居なくなるという展開を迎えたのです。

そして当時のインド首相ネルーはダライ＝ラマ14世を支持しました。今度はチベットを擁護するインドと、チベットを完全に支配したい中国との対立が深まっていくことになります。この二カ国は以前から国境について揉めていたのですが、これを機に軍事的かつ本格的な衝突がスタートしていくこととなりました（中印国境紛争）。

一方チベットでは、ダライ＝ラマ14世亡命後は中国軍が活発になり、多くのチベット人が犠牲になったと言われています。現在でもインドにはチベットの亡命政府が存続しており、未だに中国との対立を続けています。

チベット動乱で、当初の目的である中国のチベット併合自体は実現したものの、今でも禍根を残すことになりました。

三三五年戦争

一度も戦わないまま300年以上続いた奇妙な戦争

時期：1651年〜1986年
対立：オランダVSシリー諸島（イギリス）

どんな戦争か？

三三五年戦争は、オランダとイギリスのシリー諸島で行われた戦争です。

そもそも「一つの国と他国の一部地域だけが戦う」という構図自体があまり聞きなれないと思いますが、こうなったのには特殊な理由があります。

この戦争が始まったとき、イギリス国内は大きく揺れていました。イギリス国教会を推進する国王派とプロテスタントを奉じる議会派（ピューリタン）で意見が真っ二つに分かれ、対立していたのです。議会軍を率いていたのはかの有名なクロムウェルという人物で、国王派はどんどん追い詰められていきました。

そんな中で、オランダはイギリスと同盟関係にありました。「どっちが勝つんだろうか？いや、どちらが勝つにせよ、自分たちは勝っている方と仲良くしよう」と思ったオランダは、優勢だったイギリスの議会派と手を組みます。

そんな中でイングランド国王派は英国議会から逃げ出して、シリー諸島へと撤退しました。ここでオランダは、「よし、自分たちもイギリスの議会派を手伝おう」と考えて、シリー諸島に宣戦布告したのです。あくまでもイギリスとオランダは同盟関係です。だからこそ、オランダはイギリスではなく、シリー諸島に宣戦布告をしたわけですね。

戦争終結の流れ

さて、この宣戦布告の結果、シリー諸島はすぐに降伏しました。一回も戦闘行為がなく、発砲すらなく、この戦争は終わってしまったのです。

ただ、ここで一つ、面白いことが起こります。一つの国が一つの地域に宣戦布告をすることなど滅多になく、また一回も戦闘が行われなかったことから、この戦争の終わりがうやむやになってしまったのです。講和条約もないままに戦争の存在が忘れ去られ、なんとそのまま335年も経ってしまったのです。

終戦とその後

335年後、歴史家がこの事実を発見し、オランダに知らせました。オランダは、「それなら、335年経った今更だが講和条約を結ぼう」と言って、1986年に終結することになりました。

オランダのハイデコペル大使は、この講和条約が結ばれる際「いやあ、ずっと戦争が継続していたから、シリー諸島のみなさんはいつオランダに攻撃されるかわからないという状態で、ずっとお悩みであったでしょう」と冗談を飛ばしたそうです。

そしてその奇妙さから、「世界でもっとも犠牲者が少なく、世界でもっとも長く続いた戦争」と呼ばれることもあります。世の中には、こんな戦争もあるのですね。

第4章

両者の妥協によって終わった戦争

この章では、両者の妥協によって終わった戦争について解説します。

本書では繰り返し、「そもそも戦争はなぜ発生するのか」という問いに向き合ってきました。明確な答えはありませんが、第2章では、領土の問題を戦争の大きな要因として捉えました。

でも、素朴な疑問ですが、なぜ「自分たちの領土」が攻められたら戦争が起こるんでしょうか？

歴史的な背景で見れば、「自分たちの領土」という考え方ができたのは、近代に入って「国民国家」という概念が生まれてからだといえます。

近代の国民国家の概念はナポレオンが広めたと言われていますが、ナポレオンがいなかったら、一般市民が「自分たちは〇〇国民だ」というアイデンティティを持って、オリンピックで自分たちの国を応援したり、メジャーリーグで自分たちの国出身の人物が活躍するのをわがことのように喜んだり、自分たちの領土が侵害されて他国に対して怒りを覚えたりすることはなかったわけです。

国や領土を求めて戦争するのが昔から多かったのはこれまで見てきた通りですが、しかしそれが全国民の問題として捉えられるようになったのは比較的最近のことなのです。

われわれは世界史の勉強をする際に、百年戦争を勉強して「100年も戦争していたなんて、両国の国民は穏やかな気持ちではなかっただろうな」と思うこともありますが、実際にはそれは間違いです。当時の農民たちからすれば「ここってフランスって国なの？　知らなかった」というくらい、国家という枠組みは自分に関係ないことで無関心でもおかしくありません。

だからこそ、国としてのアイデンティティが確立する前は、私たちが想像するような近代的な戦争は存在しえなかったのです。

第一次世界大戦が「世界大戦」たる理由は、それが「総力戦」であったことが挙げられます。軍隊だけ、男性たちだけが戦争をしていたのではなく、女性も軍事工場で戦争のために働き、子供たちや老人たちだって働くことがあった。国全体で戦争をしていたから、戦争の規模が大きくなってしまって、世界を巻き込むような大戦争になったのだという見方があるのです。この考え方に基づくのであれば、やはり国家が戦争をするにあたっては、その国のプライドなど、その国の多くの国民が納得する戦争の理由がないといけませんよね。

ですが、プライドがかかった戦争というのは、とても難しい側面を孕《はら》んでいると思います。

薩英戦争でもベトナム戦争でも、自分たちのメンツが潰されて、報復のために戦争が起こっています。でも報復って、終わりが見えないんですよね。領土の奪還が目的なわけではないし、自分たちの国の100人が殺されたなら相手側の100人を殺せばそれで終わりなのかというと、必ずしもそうとは限りません。報復のための戦争には終わりがなく、どこかで両者が納得したり妥協したりするか、納得できるようになるまで徹底的に戦うしかないわけです。9・11のテロの報復でアメリカはアフガニスタンに侵攻し、イラク戦争へとつながっていきましたが、結局これも長期化してしまいました。

このような戦争の歴史を前にして考えなければならないのは、「妥協点を見出すこと」です。双方が納得できる落としどころを……なんて言っても、どうせ双方の全国民が納得できる落としどころなどありませんが、それでも折り合いをつけていかなければいけません。日露戦争では日本が優勢な状態で戦争が終わったのに賠償金が取れず、講和を進めた小村寿太郎は、戦争のために我慢を重ねていた日本国民から非難轟々《ごうごう》でした。近代の戦争は、納得させなければならない人が多すぎて、戦争の終わり方を探るのが非常に難しくなっています。

そういったことに思いを馳せながら、この章を読んでもらえればと思います。

薩英戦争

世界最強のイギリスと互角に戦った薩摩藩

時期：1863年
対立：イギリスVS薩摩藩

どんな戦争か？

薩英戦争は、日本の薩摩藩とイギリスの戦いです。あの大国イギリスと、日本の一部・薩摩藩の戦いということで、世にも珍しい戦争と言えるでしょう。

事の発端は、幕末の１８６２年のことです。

薩摩藩の大名行列が道を通る際に、大名行列の時は横切ってはいけないというルールがあったにもかかわらず、イギリス人がそれを無視してしまったのです。

イギリス人からしたら日本の文化がわからないのは当然ですが、これに怒った薩摩藩士がそのイギリス人を殺害してしまいました。当時の日本の感覚だと普通のことでしたが、イギリスは大激怒。幕府も薩摩藩に謝罪を求めますが、薩摩藩はそれに応じず、実行犯の差し出しすら断ったため、戦争になってしまいました。

戦争終結の流れ

イギリスは当時世界最強の国です。それが日本に数百ある藩一つと戦うわけですから、イギリスが圧勝する……かと思いきや、なんと薩摩藩は善戦しました。

嵐で海が荒れた隙をついて、薩摩藩は火薬などでイギリス艦隊にダメージを与えました。イギリスも薩摩藩の砲台を砲撃したりして応戦しますが、３日戦ったところで物資などが底をつき撤退。結局蓋を開けてみると、薩摩藩の倍以上の死傷者を出す結果となってしまったのです。

終戦とその後

薩英戦争は結局、この3日間の戦闘のみで終了しました。イギリスも痛手を負って、薩摩藩もイギリスの強さを理解し、双方ともにこれ以上の戦争は望まなかったというわけです。

薩摩藩はイギリスを撤退させましたが、その後イギリスは幕府から謝罪と賠償金を受け取り、薩摩藩からも見舞金をもらっています。つまり、この戦争は「どちらが勝った」という明快な勝負はつかず、有耶無耶《うやむや》になって終わったのでした。

この戦争の結果、イギリスは「日本は侮れないな」と認識を改め、また薩摩藩も外国勢力の強さを理解したことで攘夷《じょうい》の機運が薄れ、その後の明治維新へと繋がったと言われています。

日露戦争

戦勝はできなかったが国際社会を大きく変えた戦争

時期：1904年〜1905年
対立：日本VSロシア

どんな戦争か？

日露戦争は、日本とロシアが戦った戦争です。1895年、日清戦争を勝利で終えた日本は、清国との間に下関条約を結びました。その中の内容の一つに、「中国の東北地方にある遼東半島《リャオトン》を日本に譲ります」という条項がありました。

しかし、当時この遼東半島を狙っていた国は他にも存在しました。それがロシアです。当時のロシアは東アジアでの勢力拡大を目指しており、目障りな日本の進出をなんとかして阻止しようとしました。

そこで、「日本が勝手なことをしているから『平和を妨げる』と口実をつけて、遼東半島を放棄させてやろう」とドイツとフランスを誘い、三国で日本に圧力をかけました。鎖国を脱して間もない当時の日本は国際的に大きな地位がなく、国自体の力も劣っていたため、この三国干渉の圧力に屈してしまい、遼東半島を清に返還せざるを得ませんでした。

さて、この屈辱に黙っていなかったのが日本国民でした。三国、特にその火蓋を切ったロシアに対しての日本国内の反感は強くなっていったのです。「日本が得た領土を横取りしたロシアを許すな」という空気は次第に強くなっていきました。

他方で三国干渉以降、ロシアは急速に満州方面への進出を強めていきます。植民地の利益を確保したかった日本からすれば、ロシアの進出を黙って見ているわけにはいきません。日本はロシアに再三警告をするも、向こうはガン無視。完全に舐められてます。もっとも、国力を考えればそれも当然です。ロシアの兵力は日本の10倍あるのですから。

しかし日本は、大胆にもロシアとの戦争を考え始めます。1902年になると、利害が一致したイギリスと日英同盟を結ぶことにしました。イギリスも成長していく日本の軍事力を警戒しているからこそ良好な関係を築きたいと思っており、また清国の権益を狙うためにも日本の軍事力を利用しようと思っていたのです。

こうして1904年、戦争の体制を整えた日本は、ロシアに宣戦布告し、日露戦争が始まりました。

戦争終結の流れ

事前の予想では「戦力で圧倒的優位のロシアが勝つだろう」と言われていましたが、日本は日露戦争のために驚くべき準備をしていました。なんと、日清戦争の賠償金の約85%を軍事費に回し、軍隊をどんどん増強していたのです。その甲斐もあって、ロシア軍の旅順要塞を占領し、奉天会戦で大勝します。

また、地政学的な要素も日本を後押ししました。ロシアは冬になるとオホーツク海が凍ってしまうので、日本と海上で戦う際には、戦艦をヨーロッパからアジアまでぐるっと一周させないといけなかったのです。当時最強と言われたロシアのバルチック艦隊も、世界一周してへとへとの状態でやってきたところを日本が叩き、みごと撃退することに成功します。

終戦とその後

日露戦争は、両者ともに戦争の継続が難しくなったために講和が行われました。ロシアでは革命が勃発して、日本も国力が疲弊してしまったのです。

仲介役に立ったのはアメリカでした。よく「日露戦争は日本の勝利」と紹介されますが、正しくは「日本優勢な形での戦争終結が行われた」というべきです。日本が講和を目指したのには、冬が終わってオホーツク海からロシアに攻められたら負けるかもしれない、という危機感があったとも言われています。

講和条約では、朝鮮における日本の権益を認めさせたり、ロシアの支配下にあった場所を日本の領土にしたりすることができました。しかし賠償金は取れず、国内ではこのことに対する怒りで日比谷焼き討ち事件が発生しました。

対外的には、日露戦争は世界中で「日本のほぼ勝利」という形でニュースになりました。欧米列強が最強のこの時代に、アジアの小国がヨーロッパの大国を相手に善戦したのです。アジア諸国では「日本に続け」と革命が起こり、ヨーロッパ諸国も「日本に対する態度を改めなければ」と考えるようになりました。日露戦争の終わり方は、多くの国に影響を与えることになったのです。

朝鮮戦争

未だに続く冷戦の遺産

時期：1950年〜（1953年）
対立：大韓民国・アメリカVS朝鮮民主主義人民共和国・中華人民共和国

どんな戦争か？

朝鮮戦争は第二次世界大戦後、南北二つに分断された朝鮮半島で起こった戦争です。[20]

世紀初頭に日本によって占領された朝鮮半島は、第二次世界大戦で日本が負けたことでその植民地支配から脱します。しかし、戦勝国側により朝鮮半島は北緯38度線で南北に分断され、北はソ連に、南はアメリカによって占領されました。その後、南北はそれぞれ大韓民国（以下韓国）と朝鮮民主主義人民共和国（以下北朝鮮）として独立し、韓国は親米の資本主義陣営、北朝鮮はソ連寄りの社会主義陣営に組み込まれます。

このように異なる思想を持つ二つの国家が一つの半島に存在していたことで、両者は対立し始めました。やがて両者の対立は武力衝突に発展し、朝鮮戦争が始まります。どちらが先に攻撃したかについては論争がありましたが、現在では、北朝鮮が南北統一を目指し南に侵攻したことで戦争が始まったと考えられています。

戦争終結の流れ

最初は朝鮮半島内の二国家による戦争でしたが、当時の世界はアメリカとソ連の二大勢力による資本主義と社会主義の対立、冷戦の真っただ中です。資本主義陣営を実質的に率いていたアメリカからすると、朝鮮戦争で北朝鮮が勝利し、半島が社会主義化するのは防がなければなりませんでした。

開戦当初、韓国は劣勢に立たされ半島南端の釜山《プサン》付近に押し込められてしまったのですが、韓国側を国連軍（実質はアメリカ軍）が支援することで形勢が逆転し、今度は北朝鮮が中国国境付近にまで押されてしまいます。これには社会主義陣営が黙ってはいません。中華人民共和国が北朝鮮側に義勇軍を大量に送ることで支援しました。半島の両陣営国家がそれぞれ大国から支援を受け、さながらアメリカ対中国のような構図となったこの戦争の戦線は、元々の境界線である北緯38度線で膠着し続けました。

終戦とその後

戦線が膠着してしまい、一時は中国への原爆使用が提案されるほどに緊張の走った朝鮮戦争でしたが、長い交渉の結果、１９５３年に休戦協定が結ばれます。南北の国境は以前と同じ北緯38度線で、現在でもこのラインが韓国と北朝鮮の国境です。

しかし、これはあくまで休戦協定であり、戦争の正式な講和は今でもされていません。つまり、朝鮮戦争は1953年に終結したとは言えず、形式的には今なお戦争は継続中なのです。このように、ずっと膠着状態のままで70年も経ってしまうケースもあるのです。

朝鮮戦争はわれわれ日本人にとっても他人事ではありません。捉えようによっては、日本の隣国である朝鮮半島が現在も一触即発であるとも言えるのです。

元々一つの国家であった朝鮮が南北に分断されてしまったことは東西冷戦の爪痕の一つであり、第二次世界大戦の負の遺産でもあります。その状況が、冷戦後30年以上が経過した現在も続いているのです。

ベトナム戦争

世論がアメリカ軍を撤退させた

時期：1965年～1975年
対立：北ベトナム軍、南ベトナム解放民族戦線VS南ベトナム軍、アメリカ

どんな戦争か？

ベトナム戦争は、当時インドシナ半島にあった南北ベトナムの争いに、東南アジアの共

産化を恐れたアメリカが干渉して長期化した戦争です。

第二次世界大戦が終わった後、ベトナムは南北に分断され、北部は指導者ホー＝チ＝ミンの下ベトナム民主共和国として独立宣言をしました。しかし、ベトナムの南北統一をめぐって南ベトナムと対立が生じ、さらにベトナムへの植民地支配を復活させようとした旧宗主国のフランスが介入します。これにより南北ベトナムが戦争状態となりました。やがてフランスは敗北し、インドシナ半島から撤退します。

これに危機感を抱いたのがアメリカでした。アメリカは当時ソ連と冷戦中で、社会主義に強く反発していました。ベトナム民主共和国は社会主義を採用していたので、北ベトナム主導で半島が統一され、東南アジアに社会主義の波が広がることを恐れたのです。

1965年、アメリカのジョンソン大統領は南ベトナムを支援し、北ベトナムへの大規模な爆撃を開始します。ベトナム戦争の始まりです。

戦争終結の流れ

ベトナムの南北対立に本格的に介入したアメリカは、早期に勝利できると予想していました。それもそのはず、アメリカはそれまでの歴史において「ほぼ負けなし」の国だったからです。

アメリカ国民も世界の国々も、みな「アメリカの早期の勝利」を予期していたわけですが、実際には現地での戦いに極めて苦戦することとなります。

実はアメリカの爆撃以前から、北ベトナムの指導のもと南ベトナムでは戦争に備えて南ベトナム解放民族戦線という組織が作られており、彼らがアメリカに反発しゲリラ戦を仕掛けたのです。東南アジアは密林が多いことからゲリラ作戦が大きく成功します。

これに対してアメリカは、なんと敵軍を現地住民もろとも大量に殺害したり、市民が住む地域にまで有害な枯葉剤を散布したり、手段を選ばず対抗しました。しかし、このアメリカの残虐行為は全世界に発信されることとなります。

当時は民間へのテレビの普及が進んでいた頃で、テレビを通じて全世界にベトナム戦争の現場で撮影された映像が放映されたのです。テレビでアメリカの残虐行為を知ったアメリカ国内外の多くの人が、ベトナム戦争への反戦運動を行います。

ジョンソンの後を継いだニクソン大統領は撤兵を宣言しますが、その一方でカンボジアに侵攻し、ラオスにも空爆を行ったことで戦争がより広域なものとなりました。アメリカの戦費は一層かさみ、より苦境に立たされることとなります。

終戦とその後

ベトナム戦争では、反戦運動と戦費の拡大からアメリカが撤兵し、アメリカは史上初めて戦争に敗北しました。

この戦争は、世界史上かなり珍しい終わり方をします。アメリカ国内での反戦の機運から、アメリカが撤退を余儀なくされたのです。

「世論」が戦争の終わりに大きく影響した、というのは、近代的な出来事だといえますね。それに大きな影響を与えたのは先述したテレビです。テレビの普及は、時代が進むにつれて発展した科学技術が、間接的に戦争に影響を与えた一例でもあります。

ベトナム戦争の戦域拡大により戦費がかさんだアメリカは、「金ドル兌換《だかん》の停止」を表明します。これは、簡単に言うとアメリカが世界経済の中心の座から降りるということです。世界大戦後、アメリカは名実ともに世界の中心として振る舞っていましたが、その地位が経済面から揺らぎ始めたのです。

これらの理由から1973年、アメリカはベトナムへの介入を諦めて撤兵を決断します。その後北ベトナムが南ベトナムの首都を陥落させ、ベトナムはベトナム社会主義共和国として統一されました。

つまり、アメリカが史上初めて敗北し、奇跡的に勝利したベトナムは東南アジアに社会主義国を成立させたのです。

このように世界大戦後の新たな時代の動きに呼応する形でベトナム戦争は終結しました。

中ソ国境紛争

30年以上も続いた大国間の国境紛争

時期：1969年
対立：ソ連VS中華人民共和国

どんな戦争か？

中ソ国境紛争は、当時対立していたソ連と中華人民共和国（以下、中国）が両国間の国境を巡って武力衝突を起こした事件です。

第二次世界大戦後、世界は大局的に見ると、資本主義と社会主義の対立軸で争う冷戦の時代でした。そんな冷戦の中で社会主義の筆頭であったのが、今回対立することになる中華人民共和国とソヴィエト連邦です。

第二次世界大戦直後、中ソの二カ国間はかなり良好な関係だったのですが、1953年にある出来事が起きました。ソ連の当時の指導者、スターリンが死去したのです。中国の指導者、毛沢東はスターリンと仲が良かったことから、この出来事はソ連にとっても中国にとっても衝撃を与えます。加えて、スターリンの後を継いでソ連の指導者となったフルシチョフはさらに衝撃的なことに、スターリンを公然と批判しました。さらに資本主義陣営と歩調を合わせるかのような発言もしました。ソ連の方向転換です。

これに毛沢東は激怒し、1950年代後半から中ソ両国の対立は深まっていきます。1960年代には社会主義陣営の大国である中ソの対立は公然化し、ついに国境紛争という形で軍事衝突に至ります。こうして、かつて「蜜月」とまで言われたソ連と中国の間で、異例の紛争が勃発したのです。

戦争終結の流れ

中ソの国境線は歴史的にソ連側に有利なものが多く、中国はソ連に不満を持っていました。中ソ関係は珍宝島（ロシア側の名前はダマンスキー島）や新疆《しんきょう》ウイグル地区を巡って対立し、特に珍宝島では大規模な戦闘が始まりました。当時、ソ連も中国も核を保有していたため、この軍事衝突がより大規模化し、全面戦争に発展することへの懸念が国内外で高まります。両国の間では緊張感が高まり、中国は全面戦争に備えて国内に避難施設を作らせたりもしました。

終戦とその後

すわ開戦かと危ぶまれましたが、ソ連首相のコスイギンと中国首相の周恩来の間で会談が行われ、全面的な開戦および核戦争の危機は回避されました。しかし、対立が公然化していた中ソ国境での本格的な軍事衝突は、世界にあるメッセージを伝えました。冷戦において「社会主義国の間での連携が取れていないことが明らかになった」ということです。

その結果、ソ連と対立していた資本主義国アメリカは、社会主義国であるにもかかわらず、ソ連と対立しているという理由から、「敵の敵」である中国との関係改善に努めるようになります。

なお、戦争は回避されたものの、中ソ両国間の国境問題はその後も解決せずに燻ります。1970年代も国境を巡り睨み合いが続き、ソ連崩壊後の2004年になってやっと国境問題は解決されました。

第5章 複数国が関わって複雑化した戦争

最後の章では、複数国が絡んで戦争が複雑化したケースをご紹介したいと思います。

近代の戦争は複数国の利害が複雑に絡み合うことが多く、一対一の戦争になっている例はほとんどないと言えるでしょう。ウクライナ戦争にしても、ウクライナ側に多くの国々が武器を提供していますし、ここから戦争の終わり方を検討するにあたって、他の国々の仲介があるのはほぼ確実でしょう。一対一の戦争のように見えても、その後ろで糸を引く国もあれば、交戦国に武器を流す国もいるわけです。

恐ろしいことに、「戦争が長続きすればするほど儲かる」という構図もあります。武器を売る軍需会社などは、それが自国の戦争であれ他国の戦争であれ、長引けば長引くほど武器が売れて儲かります。他にも、アフリカではコンフリクトミネラルと呼ばれる鉱石が問題になっています。これは紛争地域において産出される鉱物のことで、コンフリクトミネラルを他国が購入することが現地の武装勢力の資金調達につながり、紛争の長期化を招いてしまう問題です。他国からすれば紛争が長引けば長引くほど多くの鉱石を手に入れられるわけで、戦争による利害は一筋縄ではいきません。

アメリカが世界一位の経済大国に成長したのも、第一次・第二次世界大戦の中心がヨーロッパであり、戦争の中心地がアメリカではなかったということが一つの要因です。このような「戦争が長期化すればするほど、自分たちの国の地位が相対的に向上するので、戦争を長続きさせて交戦国の共倒れを狙いたい」という思惑で戦争に干渉することは、昔からずっとありました。

逆に、一対一の戦争を想定しないことで平和を保とうという考え方もあります。

第3章でご紹介した三十年戦争では戦争終結にあたってウェストファリア条約が結ばれましたが、このとき「勢力均衡」という考え方が誕生しました。これは、「絶対的な力を持つ一つの国が生まれないようにすることで、もし戦争が起こった場合には他の国で協力して抑止できるパワーバランスを構築し、勝手な戦争が起こることを防ごう」という考え方で、それ以降の外交の基本になっていきます。三国志で諸葛孔明が「曹操の天下を防ぐため、曹操、孫権、そして劉備の三勢力で拮抗状態を作り出して、一人勝ちするのを妨げよう」という「天下三分の計」の作戦を取り、魏呉蜀という三国の時代が中国に到来しましたが、それと似たような考え方だと言えます。戦争が起きた場合には一対一では収まらなくなる、という警告をふだんから発しておくことで、戦争を始めることのリスクを高められ、結果として戦争の予防につながるのです。

しかし、勢力均衡の考え方は必ずしもいい点ばかりではありません。多くの国が同盟を結ぶことで、一対一の小さな戦争が起きたとき、同盟関係にある国がみんな巻き込まれてしまうという問題点があるのです。世界大戦が起きたのもこのメカニズムによるものでした。

というわけで、複数国が絡んで戦争が複雑化してしまうのは、近代の戦争の「あるある」と言ってもいいのではないでしょうか。そして複数の国が絡むからこそ、戦争は終わらず、長期化を余儀なくされる、とも言えます。

とても不謹慎な発想ですが、ウクライナ戦争において欧米諸国がウクライナに武器を提供していなかったら、ウクライナはロシアに徹底抗戦できず、すぐに蹂躙《じゅうりん》されて戦争は終わっていたのではないでしょうか。しかしウクライナが武器を提供されたからこそ、ここまでロシアと互角に戦えている、言い方を変えれば戦争が長期化しているのです。ロシアの不正義や残虐行為は明らかで、「ウクライナがすぐにロシアに攻略されればよかった」とは思えませんが、「戦争の終わり方」を考える上で、多くの国が関わることで戦争が複雑化・長期化する、という側面があることは事実なのです。

そんな中で、複雑化した戦争を終わらせる究極の手段としてあるのが、「核兵器」の使用です。

一つの国や世界を終わらせる可能性を持った超兵器の存在は、現代における戦争の終わり方を考える上で無視できない懸念事項でしょう。

「第三次世界大戦ではどんな武器が使われると思いますか?」と質問されたアインシュタインは、「第三次世界大戦で使う武器はわからないが、第四次世界大戦ならわかる。石と棍棒だ」と答えたといいます。文明を衰退させるレベルの軍事兵器が第三次世界大戦で使われるだろうというこの予言は非常に示唆的で、我々の喉元に突きつけられた課題だと言えるでしょう。

この章では、複数の国が絡んだ戦争の終わり方を見ていくことで、複雑化した現代の戦争を終結させるヒントについて考えていければと思います。

スペイン継承戦争

近代ヨーロッパの勢力図を決めた大国同士の戦争

時期：1701年～1714年
対立：フランス・スペインVSイギリス・オランダ・オーストリア

どんな戦争か？

スペイン継承戦争は、スペインの王位継承をめぐっていくつものヨーロッパの大国が介入した戦争です。スペインはハプスブルク家という王家が統治していた王国でした。しかし、当時の王が後継ぎを残すことなく死去してしまったことから戦争につながります。

ハプスブルク家はかつてヨーロッパで大きな威勢を振るっていたことから、スペインの継承者不在という事態に、スペイン王カルロス2世の生前からヨーロッパ諸国が注目していました。

ここで、ブルボン家のフランス王ルイ14世は「自分の孫にスペイン王継承権がある」と主張します。たしかにルイ14世の妻のマリア＝テレサはハプスブルク家の人間なので、正統性はあったのです。

しかしオーストリアが大きく反発します。

当時、家系は分かれていたもののオーストリアもスペインと同じくハプスブルク家の国であり、自分たちが王位継承権を持っていたためです。

結局、死の直前のスペイン王カルロス2世が、フランスのルイ14世の孫を次の後継者に指名し、ブルボン家のフィリップがフェリペ5世としてスペイン王に即位しました。

ただし、ここで一つ問題が発生します。即位したフェリペ5世はフランス王位継承権を放棄していなかったのです。「フェリペ5世はスペイン王をやりながらフランス王にもなるつもりではないか」と、他のヨーロッパの国々は気が気ではなくなります。フランスとスペインが団結すれば強大すぎる勢力が生まれてしまうので、周囲の諸国は大いにこれを警戒したのです。

結果、イギリス、オーストリア、オランダを筆頭に対仏同盟が組まれ、フランスに宣戦布告します。これによりスペイン継承戦争が勃発しました。

戦争終結の流れ

スペインの王位継承問題から発生した戦争ですが、ヨーロッパの国々の利権が絡み、多くの国々を巻き込んだ大戦争となりました。また、この戦争は主権国家同士が自国の領土をめぐって対立する、という近代の典型的な戦争の一つとしても評価されています。

戦況はというと、フランス・スペイン軍は強力な軍隊を持っていたため最初は優勢であったものの、イギリスやオーストリアも有能な軍事指揮官がいたことから、次第に押されていきます。

そして、この戦争に呼応してヨーロッパの外で、イギリスとフランスで植民地を争う戦争も発生しました（アン女王戦争）。この戦争でフランスが不利になったことから、戦況はフランス側の敗北に傾いていきます。そして、１７１３年に講和条約の一つであるユトレヒト条約が結ばれ、１７１４年にはラスタット条約が結ばれてスペイン継承戦争は終了しました。

終戦とその後

結局、フランスが当初主張した通り、ブルボン家のフィリップがフェリペ5世としてスペイン王になることは認められました。これでフランスが得をしたように思われますが、一つ条件がありました。それは「スペインとフランスの合同を永久に禁止する」というものです。これではフランスがスペインに勢力を伸ばすことはできません。結局、フランスは戦費だけがかさみ、主張が通ったにもかかわらず、ただ損をする形で終わってしまいました。

一方でこの戦争で大きく得をした国が二つあります。それがイギリスとプロイセンです。この戦争と並行して行われていたアン女王戦争で勝利したイギリスは、フランスから北米の多くの土地を入手できたのです。イギリスはこの戦争で、植民地帝国として世界に名を馳せる発展の足がかりを得ることができました。また、プロイセンはこの戦争でオーストリアを支援し、その功績で公国から王国へとランクアップしました。

また、裏では同時期、この戦争に参戦しなかったロシアも着実に力を蓄えていきました。これ以降、ヨーロッパではイギリス、フランス、オーストリア、プロイセン、ロシアの5つの勢力が大国として君臨することになります。スペイン継承戦争は、近代ヨーロッパの基本的な勢力図を決めた戦争でもあるのです。

クリミア戦争

世界初の近代戦争はいかに終結したか

時期：1853年～1856年
対立：オスマン帝国・イギリス・フランスVSロシア

どんな戦争か？

クリミア戦争は、オスマン帝国・イギリス・フランスの連合軍とロシアが戦った戦争です。

戦争の発端は、オスマン帝国が聖地イェルサレムの管理権をギリシア正教徒からカトリック教徒へと移したことでした。オスマン帝国としては「この地域はカトリックの人の方が多いし、当然だろう」と思っての行動だったのですが、これにロシアが「我々ロシアと同じ正教徒の仲間が不当な扱いを受けている」とイチャモンをつけました。

「領内のギリシア正教徒保護」というのは、18世紀から19世紀にかけて行われた露土（ロシア=トルコ）戦争によってロシアが獲得していた権利に基づく主張です。これを口実としてロシアはオスマン帝国に軍を進駐させ、それを受けてオスマン帝国が宣戦布告をして開戦しました。

この背景には、ロシアの南下政策があります。寒いロシアは、不凍港《ふとうこう》、つまり冬でも凍らない港を求めて対外進出を進めていたのです。ロシアの領土にある港はすべて冬には氷で覆われてしまい、船が出航できず、輸入も輸出もできなくなってしまうため、凍らない港がほしかったのです。

ロシアはオスマン帝国への介入を進めようとしますが、これを嫌ったのがイギリスです。ロシアの勢力拡大を食い止めたいイギリスは、ロシアの南下政策を度々阻止してきました。もっとも、イギリスにも実は野心がありました。イギリスはイギリスで、「アジア地域に勢力を拡大したい」と目論んでいたのです。実際、イギリスは1838年にはオスマン帝国との間で不平等条約を結ぶなど、影響力を強めていました。「南下したいロシアVSアジアを手中に収めたいイギリス」の対立は、ある意味では必然だったのです。

さらにこの頃、1848年のフランス二月革命を機に、ヨーロッパ各地で民族運動が活発化していました。これを「諸国民の春」と言い、オスマン帝国内部でもこの流れに乗じてブルガリアなどで騒乱が起こりました。こうしたオスマン帝国を含む東ヨーロッパの複雑な情勢を「東方問題」と呼びます。

いま挙げた二つの問題、つまり列強同士の覇権争いと民族運動の高揚が絡み合って生じたのがクリミア戦争なのです。

戦争終結の流れ

この戦争の鍵を握る戦いが、セヴァストーポリ要塞での攻防戦です。クリミア半島南端に位置するこの要塞は、ロシアの南下政策の拠点となっていました。ここで1854年から始まった攻防戦は、翌年にまで及ぶ長期戦の末、英仏軍の攻勢による要塞陥落で幕を閉じました。

両軍ともに多くの血が流れたこの戦いは「激戦」と呼ぶにふさわしく、ここでロシアが敗北したことは、戦争全体の結末を決定づけました。このセヴァストーポリ要塞の激戦には、『戦争と平和』などで知られる小説家のトルストイも参加していたとされます。

終戦とその後

クリミア戦争はロシアの敗北という形で終結します。オーストリアの仲介によりパリ条約が締結され、両陣営は和解することになりました。

ですが、勝利した陣営も一枚岩ではありません。まずオスマン帝国にとって、この戦争は「苦い勝利」になってしまいました。ロシアとはこれまでも度々戦争をしていた上、この戦争も激化したため、莫大な戦費を要しました。さらに、戦前にイギリスと結んだ不平等条約の影響で安価な外国産品が流入するようになると、国内産業も大きな打撃を受けました。こうして戦争には勝ったにもかかわらず、経済的苦境に陥ったオスマン帝国は財政破綻へと追い込まれます。

結局、オスマン帝国はイギリスとフランスにいいように使われただけだったのです。このような危機的状況の中で知識人たちが主張し始めたのが、「民族や宗教を超えた臣民の団結」、そして「西洋的な立憲政・近代化」でした。「一致団結し、かつ欧米のような近代化をしないとダメだ」と考えるようになったのです。

一方、敗戦したロシアは南下政策を諦め、狙いを東方へと定め直します。「南西方面への進出はダメだったから、今度は南の中央アジアや南東を狙おう」というわけですね。このロシアの方向転換が日露戦争につながっていきます。

さて、クリミア戦争は、初めての近代的戦争と言われることがあります。それまでは馬に乗ったり長い槍を持ったりして戦うのが戦争でしたが、クリミア戦争では新式の銃や鉄道・蒸気船などの輸送技術、電報や新聞による情報伝達や軍事医学など、多様な人・モノが動員されました。それゆえ、ロシア側で約50万人、イギリス・フランス側で約10万人の死者が出たと言われています。平和や世界の進歩を望む科学技術の発達が、この戦争以降、どんどん血腥《ちなまぐさ》いものに使われていき、結果多くの犠牲を出してしまうわけです。「世界初の世界大戦は第一次世界大戦ではなくクリミア戦争だ」と唱える人もいるくらいですから、そのスケールがわかると思います。

クリミア戦争の後、ロシアは軍備のあり方を改めるようになりました。この戦争で負けたのは、英仏が展開した近代兵器に対してロシアが旧式武器でしか反撃できなかったことが原因だと考えたのです。「もっと近代化しないと、これからの戦争には勝てない」。そう考えたロシアは、ここから近代化に向けて改革を進めることとなります。

ということで、オスマン帝国もロシアも、そしてそれ以外の諸外国も、このクリミア戦争で「近代的な戦争のあり方」を知ることになったのです。そしてそれは、これからの戦争が、今までの戦争よりももっと血が流れる、規模の大きな戦いになってしまうことも意味していたのでした……。

スペイン内戦

悲惨きわまりない第二次世界大戦の前哨戦

時期：1936年〜1939年
対立：アサーニャ人民戦線内閣VSフランコ率いるスペイン軍部

どんな戦争か？

スペイン内戦は第二次世界大戦直前にスペインで起こった内戦です。当時スペインは植民地の喪失や保護領の反乱などで衰退が進んでいたため、この状況を打破するために政府はある行動に出ます。それは、「ファシズム」にならって強い独裁を展開していくことです。

当時イタリアではムッソリーニ率いるファシスト党が勢力を拡大していました。彼らの政治のやり方は、「国家全体のためには独裁の下、個人の自由は制限されるべき」というものので、これが後に「ファシズム」と呼ばれるようになります。一方で、身分格差が大きかったスペインでは、ヨーロッパで力をつけつつあった社会主義が民衆の間で広まっていました。

ファシズムと社会主義が対立するスペインでは、選挙の結果、アサーニャ人民戦線内閣という社会主義政府が樹立されます。しかし、スペイン国内のさまざまな意見を統一することができず、政治は混乱に陥りました。

ここで、ある人物が混乱を収拾すべく行動に出ます。それがフランコ将軍です。彼はファシズムを信奉していたのですが、ファシズムは社会主義を嫌う（反共）であるために、アサーニャ人民戦線内閣に対抗して軍事蜂起をしました。これに国内の反乱軍も呼応し、全国的な内戦となっていきます。

戦争終結の流れ

フランコ率いるファシズム勢力に対抗するため、アサーニャ内閣は労働者や社会主義者によって構成される民兵を支援します。民兵の活躍の結果、軍部は首都を陥落させることができず、戦線が膠着してしまいました。

この状態で、ある二つの国が参戦します。それはドイツとイタリアです。当時両国はとても仲が良いという状態ではなかったのですが、ともにファシズムを掲げていたことからフランコ側を支援します。また、ポルトガルのファシスト政権も同様にフランコを支援しました。一方で人民戦線側もフランスに支援を求めますが、フランスやイギリスは社会主義と対立する資本主義の国であったために、人民戦線内閣を支援することをためらいます。結局、人民戦線内閣が助けを求めたフランスとイギリスは不干渉政策を取り、スペイン内戦にはあまり介入しませんでした。ただし、人民戦線側には別の国がつきます。それがソ連です。ソ連は社会主義を採用する国家であったため、当時の書記長スターリンは人民戦線側に軍事的支援を行いました。

結果的に、スペイン内戦は国内勢力の対立から発生したものの、外国からの支援を受け、ファシズムVS社会主義（共産主義）の形をとった代理戦争としての意味合いが強くなりました。その後も膠着した状態が続きますが、人民戦線側が内紛を起こすなど内戦は混乱を極めていきます。

終戦とその後

スペイン内戦は最終的には１９３９年にバルセロナ、マドリード、バレンシアをフランコが陥落させ、ファシズム側が勝利しました。これによりスペインにはファシズム政権が誕生します。

なお、この戦争は悲惨を極め、多くの人が命を落としました。ゲルニカという街が空爆された時には、画家ピカソが「ゲルニカ」という作品を残し、その過酷さを表現したほどです。

この戦争でファシズム側が勝利したことは、この後のヨーロッパに大きな影響を与えました。まず、戦争中にイタリアとドイツの関係が良好なものとなります。当時この二カ国は国際的に孤立していましたが、ともにフランコを支援したことでベルリン＝ローマ枢軸が結成され、双方の団結が明確化されました。これは、第二次世界大戦における枢軸国陣営の誕生ということもできます。

また、イギリスとフランスの優柔不断さが露呈します。この二カ国の政策は弱腰外交とも呼ばれ、国際社会を軽視したドイツの暴走に繋がっていきます。加えて二カ国が人民戦線側を支援しなかったことから、ソ連は西欧諸国に不信感を覚え、ドイツとソ連が不可侵条約を結ぶきっかけともなりました。このようにスペイン内戦は第二次世界大戦につながっていくのです。

グアテマラ内戦

冷戦終結によって終わった米ソ代理戦争

時期：1960年〜1996年
対立：親米派軍事政権VS反米派ゲリラ勢力

どんな戦争か？

グアテマラ内戦は、中米の国グアテマラで国内の親米派と反米派が対立した内戦です。なぜ内戦が起きたのか、グアテマラの歴史を内戦の少し前から振り返ってみましょう。

まず、第二次世界大戦前からグアテマラでは厳しい独裁政権が続いていました。これに対して１９４４年に民衆が蜂起したことで当時の独裁政権が倒されます。その後は蜂起を指揮したアルベンス大佐の下、グアテマラで反米的な左派政権が新たに誕生します。この政権下で労働者の権利改善やアメリカ系企業の所有地没収を含む農地改革など、民主的な動きが進みました。しかし、これを快く思わなかったのがアメリカです。当時アメリカはソ連と冷戦状態にあったので、自身の周辺国であるグアテマラがソ連に似た社会主義的政策を打ち出している事に危機感を持ったのです。

アメリカは秘密裏にグアテマラの親米派武装勢力を支援し、アルベンス政権を崩壊させ、代わりに親米派軍事政権を確立させました。これに民主化を望んでいたグアテマラ内の勢力が猛反発します。彼らは親米的な政府に対しゲリラ戦を展開していきました。これに目を付けたのが皮肉にもソ連でした。これ以降ソ連は反米派勢力を支援するようになります。このようにグアテマラ内で対立する二つの勢力がそれぞれアメリカとソ連から支援を受けた事で、この内戦はアメリカとソ連の代理戦争という側面も持つようになっていきました。

戦争終結の流れ

親米派と反米派はそれぞれアメリカとソ連から支援を受けていたため、両者は戦力が拮抗した状態が続いていきました。そんな中で、社会主義化したカリブ海の国キューバを通して、ソ連から反米派への支援はますます強化されていきます。これに親米派の政府は強く反発し、反米派の弾圧を過激化させていきました。エスカレートした親米派の政府軍はなんと、反米派に協力的だった市民や先住民をも大量虐殺し始めてしまい、特に先住民に対しては熾烈な迫害を行いました。

このように、大国の支援の影響で内戦は長期化し、残虐さが増していくのでした。この内戦は、思わぬ経緯で終わっていくことになります。

終戦とその後

グアテマラ内戦は、冷戦の終結によって終わりを迎えました。

冒頭でも説明した通り、この内戦はアメリカとソ連の代理戦争という側面を持っていました。政府と反政府派の両勢力がアメリカやソ連から軍事支援を受けられていたのは、当時冷戦が起きていたからだとも言えるのです。しかし、グアテマラ内戦が長期化し、開戦から30年が経ってしまったことで、おおもとの冷戦自体が終わってしまったのです。

１９８９年のマルタ会談で米ソ首脳が冷戦終結を宣言したことで、グアテマラ内の親米派及び反米派への両国からの支援は途絶えました。これ以上の戦闘が厳しくなったグアテマラの両勢力は、１９９６年に和平協定を結ぶに至りました。これをもって、36年間に及ぶ大戦争となった内戦は終結します。そもそもの対立構造自体がなくなってしまう、という意外な結末でした。

内戦の爪痕は現在でも尾を引いていて、グアテマラでは国内産業の停滞、治安の悪化、政府の疲弊などの多くの問題が今なお残っています。

日中戦争

欧米列強の支援で日本に勝った中国

時期：1937年～1945年
対立：日本VS中国国民党・中国共産党・アメリカ・イギリスなど

どんな戦争か？

日中戦争とは、盧溝橋《ろこうきょう》事件をきっかけとして勃発した日本と中国の戦争です。1941

年12月には太平洋戦争に拡大し、第二次世界大戦の一部となりました。

当時の日本は、軍部が政権を握っているファシズム体制であり、政党は機能していませんでした。軍部の中でも過激派は、中国本土を手に入れ、大陸の植民地化を進めることを強く主張しており、日中戦争はそのような人々の暴走が巻き起こした戦争だと言えます。

また、この戦争において日本政府は宣戦布告をしていません。これは、交戦中の国には武器などを輸出しないというアメリカの中立法が大きく関わっています。宣戦布告をすると戦争中という位置づけになってしまい、アメリカから物資を輸入することができなくなるため、正式な宣戦布告なしに戦争が拡大していきました。

戦争終結の流れ

1937年、日本は首都さえ陥落させれば戦争が終わると信じていたため、多くの犠牲を出し、南京大虐殺まで行って無理やり中華民国の首都南京を攻略しました。しかし、中華民国のリーダー蔣介石はこの頃すでに重慶へ首都を移動させていたため、戦争は終わらず、泥沼化していきます。

長引く戦争の中で、中国軍との講和を視野に入れ始めた日本軍でしたが、すでに蔣介石との講和を打ち切る声明を出してしまっていたため、日本側から表立って講和を持ちかけることができませんでした。そのため、反蔣介石派の汪兆銘をリーダーとする親日政権、南京国民政府を樹立させ、彼らと講和を結ぶことで戦争を終わらせようとしましたが、民衆の支持が得られずに試みは失敗しました。それどころか国民政府軍と共産党軍の抵抗はさらに強まってしまい、戦争の終結は一層遠のくこととなりました。そうこうしているうちに第二次世界大戦が始まってしまい、日中戦争は太平洋戦争と同化していきます。

終戦とその後

日中戦争は、日本がポツダム宣言を受諾したことで、日本の敗北で終戦しました。

しかし、中国では勝利の余韻《よいん》に浸る間もなく、日中戦争期に国民からの支持を獲得した毛沢東率いる共産党が台頭し、国民党政府との間に第二次国共内戦が始まってしまいます。

1949年に共産党が勝利し、中華人民共和国が建国されると、アメリカと中国の対立が深まります。このため1951年のサンフランシスコ講和会議に中国は参加せず、日本との講和が結ばれる機会はなくなってしまいました。日中間の国交正常化には、1972年の日中共同声明まで長い時間を要することになります。

太平洋戦争

世界初の核兵器使用によって終わった戦争

時期：1941年～1945年
対立：日本ほか大東亜共栄圏VSアメリカ・イギリス・フランス・ソ連・中国ほか

どんな戦争か？

戦争がどう終わるのかを語る上で、太平洋戦争は重要な戦争であるといえます。なんといっても、世界で初めて「核兵器」が使用された戦争だからです。

太平洋戦争のもともとのきっかけは、アメリカの「石油の輸出停止」です。日本は日中戦争の長期化によって物資がなくなってきており、物資獲得のためフランス領インドシナ（現ベトナム・カンボジア・ラオス）に侵攻を行いました。それに対して、アメリカは日本の石油の輸出停止に踏み切ります。

これにて日本は絶体絶命の状況に陥りました。当時の日本は石油輸入の約80％をアメリカからの輸入に依存しており、このままいけば石油備蓄があと1年半くらいしかもたなかったのです。中国と戦争を4年以上続けてきましたが、あと1年半が経過すると自動的にゲームオーバー、敗戦が決まる状況にまで追い込まれました。しかし、イギリスやアメリカを相手にしても勝てるわけがないというのは当初からたやすく想像できたことで、悲惨な末路が見えていました。

だからこそ日本は、電光石火の奇襲で英米を攻撃して、緒戦の勢いを活かしてできるだけ早く優位な条件で講和に持ち込むしかないと判断しました。この、「勢いで勝って講和に持ち込む」という作戦は無謀に見えますが、以前の日露戦争でも同じような勝ち方をしているので、そういう選択をしてしまうのも全く道理がないわけではありませんでした。

こうして1941年12月8日、アメリカに対しては真珠湾を爆撃し、イギリスに対してはコ植民地であるマレー半島に上陸した後にアメリカ・イギリスに宣戦布告するという、日本の命運を賭けた世紀のギャンブルが行われました。この真珠湾攻撃は大きな成果をあげ、米軍は2300人の戦死者を出しました。日本軍の勢いは止まらず、翌年1月2日にはアメリカが統治していたマニラを、2月にはイギリス拠点のシンガポールを占領するなど戦況を大きく有利に進めます。こうして、日本とアメリカは戦争を始めることになりました。

アメリカ側も、この真珠湾攻撃に対して世論が戦争一色に傾きました。それまでアメリカはあくまでも第二次世界大戦には援助するだけで参戦はしないスタンスだったのですが、この攻撃によって、そんなことも言っていられなくなったわけです。

というより、逆にこのような「第二次世界大戦に参戦する理由」をローズヴェルト大統領は求めていたのではないか、という説もあります。当時のアメリカの立場としては、ファシズムの拡大を阻止するために参戦をしたいけれど、アメリカの世論が戦争ムードではなく、戦争をする大義名分もありませんでした。だからこそ日本に対して締め付けを行い、あえて日本にアメリカを攻撃させて大義名分を作るように仕組んだのではないか、という考え方です。もちろんあくまでも一つの説でしかありませんが、しかし事実この後、すぐにアメリカは日本と戦争状態に入っていきます。

戦争終結の流れ

やがて1942年のミッドウェー海戦で日本は大敗し、その先は防戦一方でした。資源の差、兵器の質・量の差が圧倒的だったのです。

しかし、アメリカは日本の「しぶとさ」に驚くことになります。日本は海戦で大敗しても、沖縄を占領されても、それでも負けを認めなかったのです。「神風特攻隊」という、飛行機で自爆攻撃をするというとんでもない戦い方をして、物資が不足しているにもかかわらず「竹槍で戦う」などという、とんでもない教育を自国民に施していました。当時の日本は、超国家主義というイデオロギーに基づいて戦争を行っていたと言っても過言ではないでしょう。

やがて「東京を陥落させないと負けを認めないのか?」とアメリカは推測するようになります。

戦争が長引けば長引くほど、アメリカ軍も消耗します。ソ連にも日本侵略の兆しがあり、それを警戒する必要もあります。

アメリカは日本に対し「早く降伏してくれないか」と考えるようになりました。

そこで使用されたのが、「核兵器」です。もともとの経緯をたどると、核兵器は日本に使用するために開発されたものではありませんでした。

そもそもの経緯は「ドイツが核兵器の開発を進めているのではないか」という疑念から、1939年にアインシュタインがルーズベルト大統領に向けて「米国は原子力研究を早めるべきだ」という手紙を出し、アメリカに核兵器開発チームが作られることになりました。

さらに、ドイツのポーランド侵攻・第二次世界大戦の勃発を見て、原子力研究は急いで進められます。「ドイツだけが強力な兵器を開発している状態にしないようにするため」の開発だったのです。

その後、1944年のノルマンディー上陸作戦の折、ドイツの内部文章をアメリカが入手したところ、そこには「原子力を使用した爆弾は開発中止になっている」と記載されており、以降アメリカは原子力研究をする必要がなくなります。

しかし、そこでアメリカ政府は止まりませんでした。日本に原子爆弾を使用することを考えたのです。これはいろいろな理由が考えられます。しぶとい日本に対して早急に降伏を促すため、これまでの開発費を無駄にしたくなかった、第二次世界大戦後の資本主義と社会主義の対立を考えて有利に物事を進めるため……など。

そして1945年の8月6日に広島、8月9日に長崎に原子爆弾が投下され、終戦を迎えました。アインシュタインは、「米国は原子力研究を早めるべきだ」という手紙を送ったことを生涯ずっと悔やんでいたと言います。

終戦とその後

太平洋戦争が「核兵器を使用した」戦争の終わり方を迎えたことは、今の世の中に大きな影響を与えています。さまざまな国で核開発が行われ、「抑止力としての核保有」という考え方が生まれました。「あの国は核兵器を持っているから、核兵器で攻撃したら報復として核兵器を使用されるだろう」というリスクがあるので、核を持っている国は核を使用されない、というものです。核兵器は戦争の発生を抑制しているという見方もありますが、一方でこれはあまりにも「血腥い平和」であるという意見もあります。世界で一番最初に原爆が使われたのは広島です。それはこれからも変わらないでしょう。

しかし、世界で最後に原爆が使われたのが長崎であり続けるためには、これから途方もない努力が必要だと言えるのではないでしょうか。

おわりに

ウクライナ戦争の終わり方を考える

ここまでお付き合いいただき、ありがとうございます。

いかがでしたか？　いろいろな「戦争の終わり方」を共有させていただきましたが、そのすべてが「予定通り」ではなく、予想を裏切るような出来事が発生し、そして様々な問題を抱えながら「終わり」に向かっていったことがわかっていただけたと思います。

では、最後の「おわりに」に代えて、２０２３年現在継続中のウクライナ戦争について考察してみたいと思います。

ロシアがウクライナを攻めたのは、２０２２年2月のことでした。

当初、ウクライナの首都・キーウは数時間で陥落するのではないかという見立てがありました。ロシアとしても、短期決戦で決着させたかったのではないかと言われています。ところが、蓋を開けてみれば長期戦となって1年経ってもキーウは陥落せず、逆にウクライナからの反転攻勢が行われるようになりました。

その理由については、さまざまな考察がされています。クリミア半島を失った反省を活かしたウクライナが軍備に力を入れ、強くなっていたことや、プーチン大統領があまり国防費に予算を割いていないことなど、理由は枚挙に暇がありません。

そんな中、最近ではプーチン大統領が核兵器を使うのではないか、という見方も広まってきています。

さて、本書『東大生が教える「戦争の終わり方」の歴史』を読んだ上で、みなさんはこの状況をどう思われるでしょうか？　ウクライナ戦争は、どのように終わるのでしょうか？

勝手に考察をさせてもらうのであれば、まずロシアが勝つ場合の「戦争の終わり方」は、ウクライナの首都・キーウの陥落だと言えると思います。ここがウクライナの「重心」であり、ここを落とせばウクライナは抵抗が難しくなるのではないでしょうか。

次に、ウクライナが勝つ場合の「戦争の終わり方」ですが、これは難しいです。というのも、基本的にウクライナは今回、防衛戦をしています。ロシアに攻めこまれて、自陣を守るという戦いをしています。こういった場合の勝利条件は、相手の戦争継続が難しくなるまで領土を守りつつ待つか、味方になってくれる「誰か」が敵を倒してくれるのに賭けるしかないわけです。

ですが、ロシアは大国だけあってなかなか戦争を断念しそうにはありませんし、味方になってくれる第三国がロシアを攻撃する、という気配もありません。そうなると結局、自分たちで攻めてロシアの重心を崩すしか方法はありません。それゆえウクライナの方から反転攻勢が行われるようになったのではないかと考えられます。

僕がここで思い出すのは、日露戦争の「終わり方」です。

日露戦争の際、三つの要因が重なって戦争が終わりました。

一つ目は、日本がロシアのバルチック艦隊を破ったこと。日本とロシアとでは日本の国力がかなり劣っていましたが、日本側が実は厄介な相手であるという印象をロシアに植え付けることになりました。

二つ目は、ロシアで政変が起こったこと。血の日曜日事件で、ロシア国内が混乱したことは、ロシアの戦争継続を難しくさせました。

三つ目は、第三国であるアメリカが仲介したこと。実はロシアはバルチック艦隊が敗れる前にもアメリカから「日本と停戦しないか」と打診を受けていました。しかし、当初は先ほどの二つの要因が発生する前で、自国が有利だと判断して停戦を断っています。

この三つの要因と同じようなことが重なれば、ウクライナ優勢の状態でロシアとの戦争が終わるのではないか……というのが、東大生たちみんなで考えた結論です。

とはいえ、どうなるかはわかりません。クラウゼヴィッツの言葉を引用しますが、「人間活動のうち、戦争ほど偶然の働く余地の大きいものはない」からです。

今後も、戦争の終わり方についてみなさんと考察していければ幸いです。

執筆者一覧

生島光流《いくしまみつる》
木下綾乃《きのしたあやの》
西岡壱誠《にしおかいっせい》

星海社新書
274

東大生《とうだいせい》が教《おし》える「戦争《せんそう》の終《お》わり方《かた》」の歴史《れきし》

二〇二三年一〇月二三日　第一刷発行

著者　東大《とうだい》カルペ・ディエム

発行者　太田克史《おおたかつし》
編集担当　片倉直弥《かたくらなおや》
監修　西岡壱誠《にしおかいっせい》

発行所　株式会社星海社
〒一一二-〇〇一三
東京都文京区音羽一-一七-一四　音羽YKビル四階
電話　〇三-六九〇二-一七三〇
FAX　〇三-六九〇二-一七三一
https://www.seikaisha.co.jp

発売元　株式会社講談社
〒一一二-八〇〇一
東京都文京区音羽二-一二-二一
(販売)　〇三-五三九五-五八一七
(業務)　〇三-五三九五-三六一五

印刷所　TOPPAN株式会社
製本所　株式会社国宝社

アートディレクター　吉岡秀典《よしおかひでのり》（セプテンバーカウボーイ）
デザイナー　五十嵐《いがらし》ユミ
フォントディレクター　紺野慎一《こんのしんいち》
校閲　鷗来堂《おうらいどう》

ISBN978-4-06-533606-9
Printed in Japan

274
SEIKAISHA SHINSHO

254

東大生が教える 13歳からの学部選び

東大カルペ・ディエム

監修 西岡壱誠

リアルな大学の学びを総勢33人の現役東大生たちがお伝えします！

大学受験のために目指す学部を決めないといけない、でも学部の違いはよく分からない——こんな悩みを持つ中学生・高校生のみなさんは多いのではないでしょうか。現在、入試に際してますます具体的な志望理由が求められるようになる一方、大学でのリアルな学びについての情報発信はまだまだ足りません。そこで、あなたが好きなこと、やりたいことに基づいて、将来につながる進学をするための学部選びの教科書を作りました。この本では、総勢33人の現役東大生たちがそれぞれの学部で学んだことを分かりやすくレポートしています。本書をヒントに、ぜひ理想の大学進学を成功させてください！

258

なぜブルーベリー農家は東京に多いのか？
「ドラゴン桜」式クイズで学ぶ東大思考

宇野仙　企画 西岡壱誠

東大式「考える習慣」が身につくクイズを集めました！

百人もの受験生を東大合格に導いてきた人気予備校講師が見抜いた東大生の共通点、それは「身近な疑問を考える習慣」です。東大に合格できる人は日常的に感じる違和感を深く考え、生活の中で思考力を磨いているのです。東大もそういった人を重視し、日常の疑問を扱った入試問題を数多く出題しています。本書では、みなさんに東大式の思考習慣を身につけていただくため、東大生作家・西岡壱誠さんと協力して東大式の疑問力と思考力を鍛える良問を25題集め、随所に東大思考の本質を突いた『ドラゴン桜』の名言をちりばめました。この一冊で、クイズ感覚で楽しく東大思考をマスターしてください！

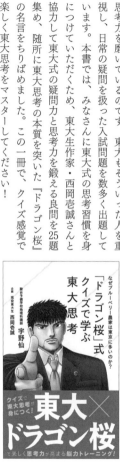

269

選抜入試の教科書

クラウドセンバツ
企画 西岡壱誠

これからの大学受験のスタンダード「選抜入試」史上初の教科書！

選抜入試（旧AO・推薦入試）はいま最も熱い大学受験のトレンドです。東大などの名門大学でも導入され、早稲田大学は「選抜入試入学者の割合を6割まで引き上げる」という目標まで掲げています。選抜入試は、自分の強みをうまく活かせば逆転合格の可能性が広がる夢の入試で、私たち選抜入試専門塾「クラウドセンバツ」の塾長も偏差値35から難関私大に逆転合格しました。この本は、私たちが選抜入試を通じて毎年約３００人の逆転合格を実現してきたノウハウをまとめ、自己分析から志望校選び、願書、面接、小論文対策まで選抜入試の全てを解説した史上初の教科書です。この教科書で、みなさんも理想の大学進学を勝ち取りましょう！

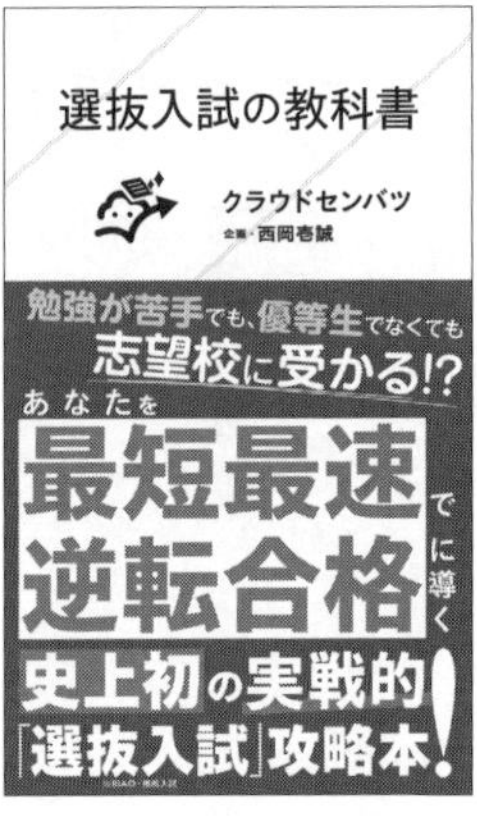

270

東大の良問10に学ぶ世界史の思考法

相生昌悟
監修 西岡壱誠

東大式「世界史の思考法」を総ざらい&東大世界史問題でより深める！

東大世界史は「世界史の思考法」を学ぶのに最適の教材です。東大はこれまで入試問題を通じて、枝葉末節の暗記にとらわれない世界史の大きな流れを理解する重要性を世に問うてきました。本書では、そんな東大世界史を徹底的に研究した東大生が選りすぐった10問をもとに、古代から現代までの世界史の流れを見ていきます。各章前半の講義編では、予備知識のない方でも東大の議論がわかるように前提となる世界史知識をまとめ、各章後半の演習編では、東大世界史名物「大論述」を実際に解いて、東大が問いかける問題意識や世界史の重要ポイントを詳細に解説しました。この1冊で東大レベルの世界史の思考法をマスターしましょう！

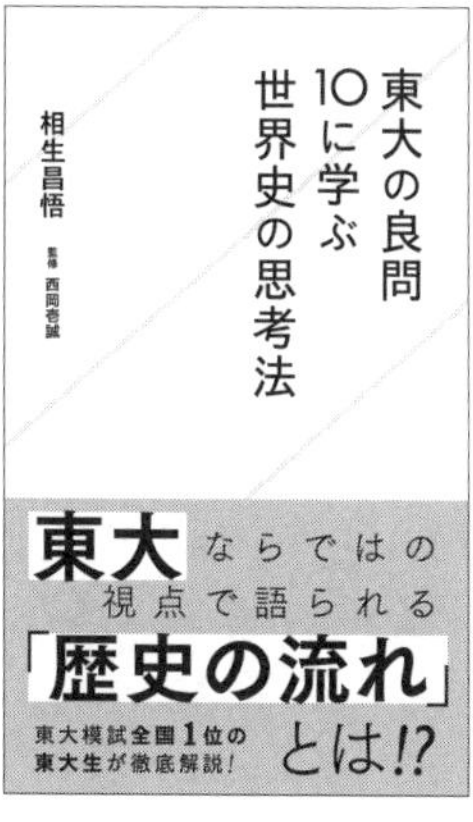

次世代による次世代のための

武器としての教養
星海社新書

星海社新書は、困難な時代にあっても前向きに自分の人生を切り開いていこうとする次世代の人間に向けて、ここに創刊いたします。本の力を思いきり信じて、**みなさんと一緒に新しい時代の新しい価値観を創っていきたい。若い力で、世界を変えていきたいのです。**

本には、その力があります。読者であるあなたが、そこから何かを読み取り、それを自らの血肉にすることができれば、一冊の本の存在によって、あなたの人生は一瞬にして変わってしまうでしょう。**思考が変われば行動が変わり、行動が変われば生き方が変わります。**著者をはじめ、本作りに関わる多くの人の想いがそのまま形となった、文化的遺伝子としての本には、大げさではなく、それだけの力が宿っていると思うのです。

沈下していく地盤の上で、他のみんなと一緒に身動きが取れないまま、大きな穴へと落ちていくのか？　それとも、重力に逆らって立ち上がり、前を向いて最前線で戦っていくことを選ぶのか？

星海社新書の目的は、**戦うことを選んだ次世代の仲間たちに「武器としての教養」をくばることです。**知的好奇心を満たすだけでなく、自らの力で未来を切り開いていくための〝武器〟としても使える知のかたちを、シリーズとしてまとめていきたいと思います。

2011年9月

星海社新書初代編集長　柿内芳文

SEIKAISHA
SHINSHO